L'Amour et la Réconciliation

DU MÊME AUTEUR

Aux Éditions du Cerf

La parole qui guérit, 1991 (3e éd. 1992).
L'essentiel est invisible. Une lecture psychanalytique du « Petit Prince », 1992.
La Peur et la Faute (*Psychanalyse et morale*, I), 1992.
L'Amour et la Réconciliation (*Psychanalyse et morale*, II), 1992.
Le Mensonge et le Suicide (*Psychanalyse et morale*, III), 1992.
De l'immortalité des animaux, 1992.

En préparation.

Le Clerc (1993).

Chez d'autres éditeurs

De la naissance des dieux à la naissance du Christ, Éd. du Seuil, 1992.

EUGEN DREWERMANN

L'Amour et la Réconciliation

Psychanalyse et théologie morale

II

Traduction de l'allemand par
JEAN-PIERRE BAGOT

Préface par
UN THÉOLOGIEN MORALISTE

Ouvrage publié avec le concours
du Centre national des lettres
et d'Inter Nationes

LES ÉDITIONS DU CERF
PARIS
1992

Dans les notes, *SB* renvoie à l'ouvrage d'Eugen Drewermann *Strukturen des Bösen, Die yahvistische Urgeschichte in exegetischer, Psychoanalytischer und philosophischer Sicht* (Paderborn, Schöningh, 3 vol., 2e éd. 1979-1980).

Titre original: Wege und Umwege der Liebe
(Psychoanalyse und Moraltheologie, II)

ISBN 2-204-04568-3

PRÉFACE

L'Amour et la Réconciliation[1] *a donné des raisons d'espérer, en Allemagne, à des lecteurs sensibles à la richesse de sa méditation sur l'amour et à son approche renouvelée du problème du divorce. Il a aussi suscité des réactions de défense et d'hostilité de certains autres, surtout de catholiques, dans la mesure où il se démarque, parfois agressivement, du langage moral et juridique habituel dans l'Église. Le voici maintenant en français.*

Au premier abord, ce livre de théologie morale semble fort étranger aux positions polémiques, notamment théologiques, à travers lesquelles un certain public français a vu présentée la pensée de l'auteur. Ce serait alors comme une parenthèse où Drewermann retrouverait le langage chrétien que certains lui dénient : oubliant en quelque sorte sa théologie et son exégèse, Drewermann développerait sereinement une réflexion de foi sur le sens de l'amour, le Dieu sauveur, l'action salvatrice et restauratrice de Jésus, reconnaissant de ce fait même la valeur fondamentale des grands textes bibliques ou le caractère sacramentel du mariage. Il n'en est rien. Chez lui, tout se tient, et L'Amour et la Réconciliation *se situe dans le droit fil de sa thèse fondamentale* (Strukturen des Bösen). *Et c'est précisément à cause des conséquences* pratiques *que Drewermann tire de ses prémisses théologiques et scripturaires qu'on a cru pouvoir soudain dénigrer ces prémisses : l'ouvrage présent a lancé, avec ses livres sur l'écologie et la guerre, les premières discussions dogmatiques.*

Dans ce livre, Drewermann part d'une pratique : celle d'un prêtre catholique continuellement confronté à de difficiles problèmes de couples. On sait que, conscient de l'insuffisance de sa formation sacerdotale pour comprendre ce qui se passe en profondeur chez des

1. En allemand, le sous-titre de ce deuxième volume de *Psychanalyse et théologie morale* est « Chemins et détours de l'amour » ; il a été publié en 1983.

personnes souvent noyées dans leurs problèmes, il a eu recours à la psychanalyse, mais à une psychanalyse qu'il a toujours veillé à resituer dans le cadre plus large d'une « analyse existentielle » fort marquée par la réflexion de Kierkegaard sur l'angoisse. Ainsi cherche-t-il à éclairer les tâtonnements, les cheminements, les détours, les impasses qui si souvent conduisent l'homme à déclarer que n'est que folie l'amour qui l'a mis en route : toutes situations qu'il éclaire par de continuelles références à la mythologie et à certaines grandes œuvres de la littérature.

Mais, en même temps, il continue à dire que, en dépit des obstacles et des échecs, ou même plutôt à travers eux, l'amour reconduit au paradis où, réconcilié avec Dieu, l'être humain se retrouve lui-même dans sa dualité d'homme et de femme. Les textes de référence sont ici le récit de la création du livre de la Genèse et celui de l'évangile de Marc (10, 1-12), véritables points d'ancrage de sa réflexion religieuse.

Oui, l'être humain est fait pour l'amour. Mais l'amour véritable est confiance répondant à la confiance. Il est sacrement de Dieu, mais il ne l'est que par l'élan qui arrache « au père et à la mère » : pour aimer, il faut « quitter » ceux-ci. C'est à cette attitude profonde, bien plus fondamentale que tout sentiment, que Jésus redonne accès.

Or, que se passe-t-il concrètement, dans ce monde « au-delà de l'Éden » ? À moins d'être ressaisi dans cet élan de grâce, donc à moins de renaître « dans la foi » (mais une foi bien antérieure à toute croyance dogmatique), l'être humain se recroqueville sur ses sécurités. Il cherche alors inconsciemment dans l'autre les parents qui lui ont donné de vivre, et cela qu'il leur reste sentimentalement attaché ou qu'il ait réagi contre eux avec violence. Pas de relation conjugale adulte, explique Drewermann, si, « en l'autre, on ne fait que chercher, aimer ou haïr son propre père ou sa propre mère », car, ce qui attache alors à cet autre, ce sont « des liens d'angoisse et de dépendance infantile » (p. 60). Ici, il faut être réaliste : comme l'amour implique presque toujours quelque réminiscence de l'amour goûté auprès des parents, l'être aimé déçoit, dans la mesure où il s'écarte de nos attentes archaïques revigorées. « Celui qui aime par transfert se montre incapable d'admettre activement l'autre : il ne fait que se retrouver lui-même » (p. 43).

« Transfert amoureux » : le gros mot psychanalytique est lâché. Il signifie qu'en croyant aimer un(e) autre, l'être humain se trompe très souvent d'objet. Dans son angoisse (dans son « manque de foi »), par une sorte de « fascination magique » (p. 45), il continue à rêver (à « fantasmer ») d'un parent dont il attend encore tout. Ne pouvant alors se libérer de son passé et accéder à la véritable liberté, il « rate »

l'autre en en faisant le simple répondant de son rêve : que de couples reposent ainsi sur un malentendu fondamental !

Que faire ? Essentiellement, aider à réaccéder à la confiance, au besoin en passant par une thérapie et, en définitive, en découvrant la profondeur existentielle de la foi.

Sur ce point, il faut prévenir un malentendu que le langage religieux de Drewermann rend possible. Nombre de ses formulations laissent en effet supposer qu'en dehors de la « foi » et du « sacrement », aucune réussite matrimoniale adulte n'est envisageable. « Les conditions psychiques d'une réussite durable du mariage ne se trouvent que dans la foi en Dieu » (p. 59), car « seul celui qui peut ancrer dans l'infini l'archétype du père et de la mère peut relativiser ses attentes de protection et de sécurité, et ainsi reconnaître et accepter l'autre, avec ses limites réelles. Pour parler plus clairement, seule la foi en Dieu rend possible la dissolution de l'amour de transfert et ouvre à l'amour véritable de l'autre » (p. 67). Et il insiste : « Ce n'est donc qu'à partir de Dieu qu'il devient véritablement possible de participer à une relation durable, indissoluble, car seule la relation à Dieu permet d'accepter l'autre tel qu'il est, sans charger sa personne d'attentes qu'on aura absolutisées et déifiées en les arrachant au domaine des archétypes parentaux. Ce n'est que dans la foi qu'il devient possible de "quitter son père et sa mère" véritablement, et c'est seulement à partir de Dieu que l'amour humain est durable » (p. 68). Autrement dit : « la fermeture religieuse implique nécessairement l'incapacité morale d'aimer » (p. 69) — de façon adulte, s'entend.

Faut-il penser que Drewermann nie la valeur de la « nature » ? Si « ce n'est que dans le cadre de la grâce divine que l'amour entre humains est possible » (p. 73), qu'en est-il de ceux et celles qui refusent et l'existence de Dieu et le régime de sa grâce ? La nature sans la grâce serait-elle exsangue au point d'être radicalement incapable d'une conduite conjugale adulte ? Quel est alors ce Dieu taillé sur mesure pour venir combler les béances d'un amour conjugal qui, sans cette bienheureuse présence providentielle, risquerait bel et bien de demeurer infantile en ses fixations parentales ? Faut-il un super-père ou une super-mère célestes pour quitter nos pères et nos mères terrestres ? Ainsi celui qu'on accuse de brader la foi chrétienne *ne ferait que la réimposer subrepticement par la porte de la psychologie !*

Il est en réalité caractéristique de voir que Drewermann a précisément refusé qu'on réédite ou qu'on traduise certains chapitres de son texte allemand (sur les « perversions sexuelles ») parce que son langage religieux de l'époque faisait trop vite abstraction de la réalité humaine vécue, en risquant d'apparaître comme une sorte de prise de parti religieuse *quasi explicite au cœur de toute attitude sexuelle. Les médiations humaines et psychologiques doivent être respectées en tant que telles. Cependant, pour lui, les mots « foi », « grâce » et « Dieu », s'appuyant sur l'altérité de Dieu et du Christ, renvoient à une expérience existentielle bien antérieure au sens relativement restreint qu'ils ont pris dans la dogmatique chrétienne. Ils supposent parfois une attitude existentielle antérieure à toute ratification ou à tout refus de la doctrine chrétienne explicite pour désigner une attitude existentielle irréductible tant à ce qu'en sait la conscience qu'à ce qu'en dévoile la psychanalyse ; en ce sens, pour lui, toute réalité spirituelle authentique est par nature « grâce », et il récuse l'idée d'une coupure ontologique entre l'ordre de la création et celui de la rédemption. Mais, s'il prend aujourd'hui plus de distance par rapport à son langage religieux que cela n'apparaît dans les textes présents, ceux qui sont traduits ici, c'est bien parce qu'il se rend compte du risque de télescoper par des mots à résonance dogmatique les cheminements concrets de l'homme, en imposant précipitamment une interprétation croyante relevant d'une confession de foi : l'essentiel, c'est l'attitude profonde, l'acte de confiance vitale, que lui, croyant, interprète comme réponse au Dieu qui ouvre à la vie. De même, pour lui, la nature sacramentelle de l'amour est bien antérieure à l'institution de l'Église, et la grâce est plus fondamentale que « la grâce sacramentelle » d'état si elle est présentée comme découlant de la bénédiction de l'Église.*

Aider l'autre à réaccéder à la confiance, disions-nous ; donc l'accueillir, tel qu'il est, sans le juger, mais en l'aidant à se retrouver, quand il est perdu au milieu de ses difficultés.

Les difficultés de l'amour ? Elles sont parfois tragiques, mais souvent inévitables et même nécessaires. Certes, elles témoignent d'une faille fondamentale, celle de l'homme qui a brisé la confiance originelle (on retrouve ici la thèse fondamentale de l'auteur sur le péché originel). Mais elles dépassent alors l'ordre moral légaliste. Il ne s'agit donc pas de prétendre les résoudre ou les surmonter en faisant appel à un quelconque « tu dois », mais de faire resurgir les sources spirituelles de la relation d'amour. Sur ce point, on notera la façon dont Drewermann fait voir dans la fidélité conjugale durable le résultat d'un équilibre affectif et religieux qu'on ne saurait imposer à coups de préceptes : « Celui qui considère nécessaire de régir l'amour par un réseau d'ordonnances morales ou de statuts légaux a perdu de vue le couple paradisiaque, le couple comme sacrement, comme expression de la sécurité parfaite retrouvée en Dieu » (p. 114).

Il y aurait à s'interroger ici sur cette conception des sacrements en régime chrétien : ne sont-ils qu'*expression de la sécurité retrouvée en Dieu ? Dans la perspective commune, ils ne réinstallent aucunement les chrétiens dans un régime paradisiaque projeté dans des origines rêvées comme non conflictuelles, ni dans une condition céleste future où tout serait pacifié : comme dons et comme missions, les sacrements invitent ceux et celles qui se disent du Christ à emprunter, autant que faire se peut, les chemins évangéliques indiqués par Jésus de Nazareth. Ils ne font pas sortir du quotidien : ils aident à dynamiser celui-ci.*

Mais c'est sur le lien entre sacrement et foi que les analyses de Drewermann devraient immédiatement faire réfléchir : « Le sacrement de mariage ne peut être reçu que par celui qui a la foi » (p. 123), selon l'enseignement de l'Église. On pourrait le souhaiter. Et le droit de l'Église lui-même en arrive à confondre souhait et réalité quand il promulgue (canon 1055, 2) que deux baptisés ne peuvent être mariés que sacramentellement, qu'ils partagent ou non la foi de l'Église qui les a baptisés. Ainsi, pour l'Église catholique, un baptême, un mariage ou une ordination au ministère demeurent valides même hors de toute perspective de foi. À supposer qu'il s'agisse seulement d'exceptions, bien que nombreuses, il y a là une aberration théologique et ecclésiale, qui préoccupe depuis longtemps théologiens et pasteurs, mais que Drewermann condamne vivement : « Quand on voit sa continuelle insistance [de l'Église] sur l'aspect institutionnel, légal et moral, [...] son organisation apparaît alors de nature dépressive-obsessionnelle » (p. 118). Ainsi l'Église lèserait des milliers de couples mal assortis et mal mariés, qui se trouvent « piégés » par un sacrement dont ils n'ont pas vraiment compris et accepté les enjeux, notamment concernant l'indissolubilité, ou qui l'ont compris de façon purement légaliste au point de tenir coûte que coûte « par devoir » un mariage miné de l'intérieur.

Ces situations infernales, ces situations impossibles, Drewermann a l'art de les décrire. Le tragique tableau du couple sado-masochiste constitué par un névrosé obsessionnel et une dépressive (p. 88-108) montre ce que peut être un triste attelage ne tenant que par la force de deux surmoi qui, en invoquant souvent le devoir de « fidélité », s'agrippent l'un à l'autre dans leur volonté de changer leur conjoint. Cette « danse de scorpions » (p. 106) ne saurait s'interrompre que du fait de l'irruption, souvent tardive, d'un événement extérieur, mise en route d'une psychothérapie, ou tromperie venant briser la fausse image de fidélité que se donnent les époux pour se justifier.

Mais, en dehors de situations plus ou moins pathologiques, bien des couples échouent sans que l'on puisse reconnaître en eux de véritables inaptitudes à l'engagement adulte. Selon l'expression classique, il a pu y avoir « faute » en cours de route. Encore ne convient-il pas de juger de ces « défaillances » uniquement de l'extérieur. « Tout en constituant des fautes contre la morale et la bienséance, certaines formes d'amour ne sont pas péchés contre la vie, fautes qui seraient beaucoup plus graves » (p. 138). Et l'auteur multiplie les exemples tirés de la littérature, où des couples officiellement mariés ne survivent qu'à travers des échappatoires qui mériteraient d'autres traitements que ceux des comédies de boulevard. « Ce qui, vu de l'extérieur, apparaît alors comme une faute, peut n'être en réalité que fidèle obéissance à la vérité de son être » (p. 141).

Mais alors, étant donné ce « caractère énigmatique, imprévisible et anarchique de l'amour » (p. 52), l'Église ne devrait-elle pas faire preuve d'infiniment plus de souplesse qu'elle ne le fait, et reconsidérer la position sur « le » divorce, et, plus encore, sur le remariage chrétien ?

Drewermann invite ici à un double examen de conscience.

Il commence par réfléchir aux conditions de validité du mariage, telles que les envisage le droit canon catholique. La découverte psychanalytique du « transfert » n'oblige-t-elle pas alors à élargir considérablement l'idée d'« erreur sur la personne » et reconnaître que nombre de célébrations dites sacramentelles sont en fait invalides ? Bref, la valeur même de l'idée chrétienne devrait conduire à moins de mariages à l'Église et, en tout cas, devant certains échecs, à reconnaître combien de « sacrements » n'ont été qu'illusoires. L'auteur reproche alors aux tribunaux ecclésiastiques de ne pas prendre assez en considération ce « caractère énigmatique, imprévisible et anarchique de l'amour », quand ils décident de la validité ou de l'invalidité d'un mariage.

Sur ce point précis, ces reproches ne tiennent pas compte de la réflexion la plus récente des officialités ecclésiastiques touchant la reconnaissance de la nullité de mariages entre personnes inaptes à constituer entre elles une véritable et profonde communauté de vie et d'amour, capable d'assumer les obligations de la vie conjugale et familiale. C'est dans la fidélité à ces recherches para-conciliaires que le pape Jean-Paul II définissait en 1981 le mariage comme « un pacte d'amour conjugal conscient et libre » (exhortation apostolique Familiaris consortio, *n° 11). Le 28 janvier 1982, il précisait devant le tribunal de la Rote : « En parlant ici d'amour, nous ne pouvons le réduire à une affection sensible, à un sentiment d'affinité, à une joie de vivre » (*Documentation catholique, *n° 1824). Autrement dit, le pape trouve insuffisant ce que saint Thomas d'Aquin appelait l'« amour d'attrait », et il estime indispensable l'« amour de bienveillance », selon la terminologie même du grand Docteur médiéval. Plus récemment, on a parlé d'amour* captatif *et d'amour* oblatif. *Actuellement, les juges d'Église ne se contentent pas d'un consentement conjugal prononcé sous l'impulsion d'un amour demeuré infantile,* *même si ses effervescences ont pu donner le change à l'entourage. Les tribunaux d'Église reconnaissent donc qu'il existe une* immaturité affective, *et ils font beaucoup plus appel que dans le passé aux approches psychologiques et psychiatriques. Toutefois le détour par la psychanalyse reste exceptionnel, comme si cette dernière héritait à son tour du soupçon qu'elle a si largement contribué à répandre.*

*Quoi qu'il en soit des démêlés des canonistes avec les sciences humaines, ils auraient tort d'ignorer les possibilités que celles-ci leur offrent pour mieux connaître les sinuosités du psychisme humain : on ne peut que gagner à recourir à des experts, sans pour autant se croire obliger de s'aligner sur les résultats ; demeure en toute hypothèse l'exigence d'un discernement théologique et pastoral. C'est dire que certaines critiques de Drewermann méritent attention, par exemple quand il estime que la notion canonique d'*erreur sur la personne *est insuffisante pour traiter des échecs du couple dont les liens ne semblent pas fondés sur des motivations névrotiques; ou encore lorsqu'il dénonce l'officielle propension des tribunaux ecclésiastiques à ne s'intéresser qu'aux actes externes et à leurs conséquences, en oubliant par trop leurs motivations et les impulsions inconscientes qui les suscitent.*

Mais Drewermann ne se contente pas d'interroger la pratique du droit canon. Plus fondamental est son appel à voir adopter dans l'Église une attitude pédagogique capable de tenir compte des véritables cheminements de l'amour, avec toute la marge de tâtonnements inévitables et nécessaires. Ce qu'il remet alors en cause, c'est l'attitude obsessionnelle de l'Église en matière de sexualité, et la façon dont elle empêche alors d'accompagner sur leur route ceux qui cheminent si difficilement (c'est-à-dire, en fait, tous les êtres humains*). Sa propre position en la matière n'a rien à voir avec celle d'un libéralisme laxiste, car grande est son exigence spirituelle en la matière. Elle est celle d'un thérapeute et d'un croyant, et il demande à l'Église de tenir davantage compte de cette dimension de la religion : aider et guérir.*

C'est la priorité accordée à la foi et son souci pédagogique qui le poussent également à demander plus de souplesse dans les règles canoniques du mariage face à la réalité de la polygamie : « Cela pose une question culturelle, institutionnelle et morale absolument impossible à confondre avec le problème théologique de la nature de l'amour et de la fondation de celui-ci sur la foi en Dieu » (p. 115). Une fois encore se pose le problème si délicat du rapport de la foi et des cultures. Bien sûr, toute pratique culturelle, qu'elle soit occidentale, asiatique ou africaine, n'est pas nécessairement consonante avec l'intégralité des appels évangéliques. Mais comment une organisation ecclésiale qui a pour mission de promouvoir la foi, et non ses propres habitudes et perceptions culturelles, peut-elle guider sans écraser ?

Comme beaucoup de thérapeutes et de pasteurs, l'auteur est convaincu que l'amour a besoin d'une « parole qui guérit », et celle-ci n'opère qu'en dénouant peu à peu des écheveaux embrouillés et noués le plus souvent depuis la toute petite enfance ; une parole qui ne juge pas, mais ouvre les portes de la compréhension de soi-même, et donc de la réconciliation avec son être profond aussi bien que de l'accueil du conjoint. Reconnaître sa propre finitude, c'est se disposer à accepter celle de l'autre. Et pratiquer cette miséricorde à double face, c'est accéder au pardon et à la réconciliation.

UN THÉOLOGIEN MORALISTE.

À L'ABRI DANS L'ANNEAU DE L'AMOUR

L'homme originel vu par le Yahviste

(Gn 2, 22-25)

Tant que l'homme est uni à Dieu, ce monde est un paradis : c'est ce qu'affirme ce que nous appelons le récit « yahviste » de la création (Gn 2, 4b-25). Sous la protection de Dieu, cet homme est chez lui dans l'univers, et il peut s'y épanouir au rythme même du temps. Le sens de la vie de l'homme se limiterait-il alors à « cultiver et garder » le jardin du monde (Gn 2, 15) ? Non ! répond le Yahviste ; et il termine son récit de la genèse en racontant la création de la femme. Ainsi affirme-t-il que Dieu a appelé sa créature à trouver son bonheur dans l'amour d'un autre, cela au point que toutes les relations dont il avait été question jusqu'alors, l'amoureux dialogue entre Adam et les êtres qui le précédaient, n'apparaît plus soudain que prélude, douce préparation à ce que doit être le plein épanouissement d'une aspiration intime.

Sans Dieu,
l'amour devient malédiction fatale.

Veut-on comprendre l'amour tel qu'il est décrit en Gn 2 ? On doit alors se souvenir que le récit yahviste du paradis est une sorte de réflexion sur l'ordre prévu par Dieu pour le bien de l'homme, un ordre dont la pérennité suppose une assurance intérieure que l'homme ne peut fonder que sur Dieu. Or, affirme le Yahviste, voici qu'Adam perd de vue son créateur, à cause de l'angoisse que vient symboliser le serpent du néant. Du coup, ce qui était jardin divin ne lui apparaît plus que jungle menaçante. Désormais jeté dans la lutte de la vie, il en arrive finalement à pervertir ce qu'il avait de plus humain : sous l'effet hypnotique de l'angoisse, l'amour de l'homme et de la femme se change en lutte des sexes ; il dégénère en un atroce mélange de désir de dominer et d'avilir, de pruderie et de luxure (Gn 3, 8.16)[1]. Ce qui était promesse d'un bonheur protégeant des affres de l'angoisse se transforme en inéluctable déception, en malédiction. Dans l'autobiographie où il expose le drame de son mariage, Strindberg, citant Napoléon, ce « grand connaisseur des femmes », affirme : « En amour, il n'est d'autre issue que la fuite. » Et il décrit le tiraillement qu'il éprouve entre sa volonté de s'imposer et son impuissance, entre sa passion et sa honte. Il ajoute : « À un prisonnier, on n'ordonne pas de fuir ; encore moins à un condamné à mort[2]. »

L'amour, fatalité mortelle ? La rencontre des sexes, combat métaphysique mettant en jeu la haine ? L'homme et la femme, des êtres originellement condamnés à se punir, à se torturer ? Quel pessimisme ! C'est celui qu'approuve complètement le Yahviste ! Mais il ne concerne que l'homme sorti de l'Éden, donc un homme en pleine contradiction avec sa vocation, celui que tenaille la crainte destructrice d'une créature confrontée à son créateur, celui qui s'est coupé de son origine et qui en est dé-naturé. Cette noire vision des choses ne fait que mieux ressortir la pensée profonde de notre auteur sur l'amour, celle dont il a fait le thème central de son récit concernant le paradis : pour lui, l'amour n'est pas seulement la vocation originelle de l'homme, la force la plus profonde de son cœur ; il est ce qui, en soi-même, rappelle le paradis perdu ; si les humains étaient capables de s'aimer vraiment, le monde leur apparaîtrait intérieurement aussi lumineux qu'il l'était au matin de la création (Gn 2, 4b-25). Avant même de se découvrir dans sa dualité, encore inconscient de son aspiration profonde, Adam parlait avec les animaux, avec la création tout entière, engagé déjà en un amoureux dialogue avec la totalité des êtres ; et son dialogue déjà s'adressait à cet inconnu que Dieu se préparait à lui présenter, le jour venu, quand viendrait le brûler sa soif d'amour (Gn 2, 22).

Récit étroitement masculin a-t-on constamment objecté au Yahviste : l'homme, ce serait le « mâle » (Adam), la femme

1. *SB*, I, p. 79-80 ; II, p. 82, 144, 213-216 ; III, p. 260, 264, 380.

2. A. STRINDBERG, *Le Plaidoyer d'un fou*, Paris, Mercure de France, 1964-1971.

n'étant que la « fe-mâle » (Gn 2, 23)[3]. Cela est exact, dans la mesure où la description de la création est profondément marquée de traits patriarcaux[4]. Mais attention ! Le Yahviste ne cherche absolument pas à affirmer la supériorité de l'homme et une quelconque infériorité de la femme. Tout au contraire : son souci, c'est de faire voir comment le dénigrement masculin de la femme contredit la volonté divine originelle : il est l'effet, et un effet absolument nécessaire, de la faute humaine. Bien sûr, son récit part de la perspective traditionnelle selon laquelle c'est la femme qui vient tenter l'homme. Mais, en racontant en Gn 3 comment la femme est celle que le serpent conduit à désobéir à l'ordre divin, il ne fait que tenir compte de l'histoire de la culture[5] : ce trait n'est en rien caractéristique de son récit ; il faut même dire le contraire : le fait qu'en elle-même, la femme n'a *rien* d'une tentatrice, mais qu'elle est induite en erreur[6] contre sa volonté, *voilà* le trait qui met en valeur sa vision originale des choses.

La femme, instrument de punition des dieux, ou bénédiction de Dieu ? De la mythologie grecque à la théologie yahviste.

Pour comprendre tout ce qui sépare la vision yahviste de la femme de celle des vieux mythes populaires de l'Antiquité, il suffit d'une brève comparaison avec la *mythologie* grecque concernant l'« âge d'or », celle de la tradition classique dont Hésiode s'est fait le chantre. À en croire les deux passages dans la *Théogonie* où il nous décrit Pandore, la femme originelle, les hommes, en ce temps-là, vivaient « *Les Travaux et les Jours*[7] sur la terre à l'écart et à l'abri des peines, de la dure fatigue, des maladies douloureuses, qui apportent

3. *SB*, I, p. 20, 22.
4. *Ibid.*, II, p. 22.
5. *Ibid.*, II, p. 102, 500 ; III, p. 45-48.
6. *Ibid.*, I, p. 58-62.
7. Voir HÉSIODE, *Théogonie* ; *Les Travaux et les Jours*, textes établis et traduits par Paul Mazon, Paris, Les Belles Lettres, 1928, 9e éd. 1977, respectivement vers 570-612 et 50-105.

le trépas aux hommes[8] ». Mais Zeus voulut punir la race humaine, parce que Prométhée, (le « prévoyant ») avait volé le feu aux dieux pour le donner aux hommes. C'est pourquoi il suscita en ceux-ci un autre feu, « un mal, en qui tous, au fond du cœur, se complairont à entourer d'amour leur propre malheur[9] » : la femme. On a presque l'équivalent littéral de la punition infligée à la femme, et non plus à l'homme, selon le récit yahviste (Gn 3, 16b). Chez Hésiode, en revanche, ce sont les êtres humains, autrement dit les hommes, qui doivent expier le crime du titan Prométhée. En châtiment du vol du feu dérobé, ils sont saisis dans cet horrible embrasement qu'est le désir sexuel. Selon les indications de Zeus, Héphaïstos, autrement dit Vulcain, doit pétrir une figure de glaise et d'eau à laquelle il conférera la parole et la vie, lui donnant « à l'image des déesses immortelles, un beau corps aimable de vierge[10] ». À cette jeune fille, la déesse Athéna doit apprendre le tissage : Aphrodite est chargée de la coiffer de grâce et de lui conférer « le douloureux désir, les soucis qui brisent les membres », tandis qu'Hermès lui inculque « un esprit impudent, un cœur artificieux »[11]. Ainsi nantie de tous les dons des habitants du ciel, « pour le malheur des humains affairés », la femme originelle peut s'appeler à juste titre « Pandore » (« tous les dons »)[12].

Dans la *Théogonie*, Hésiode complète le tableau : Athéna redouble la beauté de Pandore en la parant d'un collier d'or orné de figurines d'animaux sauvages. « Zeus l'amena où étaient dieux et hommes superbement parée par [Athéna], la fille du dieu fort ; et les dieux immortels et les hommes mortels allaient s'émerveillant à la vue de ce piège, profond et sans issue, destiné aux humains[13]. » Le chef-d'œuvre d'Héphaïstos, Pandore, la femme originelle dotée de tous les dons divins, n'est pour le poète qu'une figure inexorablement trompeuse conçue par Zeus « pour le malheur de l'homme », « le grand malheur des « hommes mortels », ce « mal si

8. *Les Travaux et les Jours*, vers 90-92.
9. *Ibid.*, vers 57-58.
10. *Ibid.*, vers 61-63.
11. *Ibid.*, vers 66-68.
12. Voir *Ibid.*, vers 80-82, et note de Paul Mazon, n° 1, p. 89.
13. *Théogonie*, vers 586-589.

beau »[14], ce bourdon parasite venant fausser l'œuvre des hommes, indispensable pourtant si ceux-ci ne veulent pas rester sans soutien dans leur vieillesse et quitter le monde sans enfants[15].

À croire cette description, la mythologie traditionnelle voit dans la femme l'incarnation de la punition infligée aux hommes pour une faute qu'ils n'ont pas commise. Dans cette perspective, ce n'est pas non plus la femme qui induit les hommes à commettre une faute : elle est plutôt celle qui les dupe en les conduisant à expier la démesure coupable du titan, donc la faute d'un autre. Pandore n'est alors pas « la mauvaise » ; elle n'est que la marionnette des dieux, celle qui leur permet de faire de l'existence humaine une tragédie divertissante. Car Zeus, « le père des dieux et des hommes », « éclate de rire[16] » à la seule idée de punir les hommes en créant la femme. Au moyen de l'amour, les dieux se vengent du vol du feu, pour leur plus grand divertissement, mais au prix du malheur de l'homme. En tout cela, pas question de la moindre culpabilité humaine. Quant à la femme, c'est un personnage de tragédie.

Sans doute Hésiode rapporte-t-il en plus l'acte par lequel Pandore, poussée par la curiosité, vient provoquer une catastrophe supplémentaire ; mais son geste n'a rien d'une faute à l'égard des dieux, bien au contraire : conformément à sa nature, elle ne fait que répondre à leur volonté bien établie[17]. Prométhée (le « prévoyant ») a en effet mis en garde son frère Épiméthée (celui « qui réfléchit après coup ») contre tout don venant des dieux. Mais, pour le malheur des hommes, celui-ci oublie ce conseil et garde chez lui Pandore que Hermès, messager des dieux, vient de lui livrer. Or, Pandore ouvre la boîte dans laquelle sont enfermés tous les maux ; ceux-ci s'échappent dans le monde, à l'exception de l'espérance, qui reste seule au fond[18]. Depuis lors, invisibles et silencieux, ces maux accablent l'humanité. Ils surgissent, sans avertissement et sans raison, ainsi que l'a voulu Zeus. C'est donc la curiosité de la femme qui voue l'homme au malheur,

14. *Ibid.*, respectivement vers 571, 600, 585.
15. Voir *ibid.* vers 594-595 et 603-607.
16. *Les Travaux et les Jours*, vers 59.
17. Voir *ibid.*, vers 104.
18. Voir *ibid.*, vers 90-105.

sans même cette contrepartie prévue qu'était l'espérance : elle était bien dans la boîte, mais elle reste à la lettre au fond du trou, donc à jamais absente de ce monde de souffrance. Tel est le chef-d'œuvre de Zeus : cette horrible calamité qu'est la femme, rançon à payer pour l'acquisition du feu divin.

Quelle distance d'avec la vision yahviste des choses ! Et combien absurde la simple idée d'assimiler le récit du paradis originel et de la chute avec la vieille tradition des récits populaires touchant une femme par nature source de tous les maux[19]. Dans le récit biblique, ce n'est *ni* par nature *ni* par l'effet de la volonté divine qu'Ève est médiatrice du mal : originellement, elle appartient au monde du paradis ; elle en est même l'accomplissement et la confirmation. Seul un péché, auquel Adam a finalement tout autant part qu'elle, vient transformer son désir d'amour en malédiction, cela *à l'encontre de* la volonté divine et de sa propre vocation. Et, de façon très caractéristique, la punition décrite par le Yahviste la touche, elle (Gn 3, 16b), et non pas l'homme comme chez Hésiode. Dans le texte, rien ne s'apparente à une expérience originelle de la femme comme un « mal si beau » venant empoisonner toute l'existence ; on a seulement la description du contraste entre l'univers paradisiaque et celui de la rupture avec Dieu. Dans l'union à Dieu, l'amour est bénédiction, et il ne dégénère en malédiction que du jour où l'homme perd son point d'appui en Dieu et s'écarte du centre du monde. S'il y a une chose que le Yahviste entend dire de la femme, c'est qu'elle est créée pour le plus grand bonheur de l'homme, et que seule la faute par laquelle l'homme et la femme s'éloignent *ensemble* de Dieu donne à l'existence féminine sa forme de dure punition[20]. La bénédiction à laquelle par nature elle était appelée s'inverse en malédiction, tout comme la vocation de l'homme débouche sur sa disqualification[21].

La mythologie grecque offre encore un autre exemple qui permet de mettre en valeur la différence *théologique* radicale entre les deux visions de la femme : celui de *Némésis*, la déesse de la vengeance. Elle incarne originellement un

19. K. KERÉNYI, « Die Geburt der Helena » dans *Humanistische Seelenforschung*, p. 62-63.
20. *SB*, I, p. 71-72.
21. *Ibid.*, p. 90-91.

autre aspect de la femme : la résistance contre le très puissant désir que provoque en l'homme son irrésistible beauté. Un jour où Zeus la poursuivait, elle s'enfuit, rouge de colère et de honte, franchissant terres fermes et sombres abysses, se transformant tour à tour en poisson et en oie ; mais Zeus, qui avait pris la forme d'un cygne, parvint à ses fins. Hélène, née d'un œuf, devait, par sa beauté, devenir le personnage fatal de la mythologie grecque, accomplissant ainsi la volonté de Zeus[22]. La juste fureur et la honte éprouvées par Némésis devant cette conduite masculine importune ont trouvé leur figure concrète en elle, la déesse de la vengeance. Une fois de plus, à travers le personnage de Némésis, la femme apparaît comme l'incarnation de la punition des dieux, et cela pour un forfait qu'elle ne peut que provoquer par sa nature. Elle unit en elle le châtiment et le déchaînement de sauvagerie du monde animal[23].

Pandore était nantie d'un collier d'or orné de figurines de fauves ? Némésis, elle, est « reine des bêtes », annonçant ainsi l'Artémis d'Homère[24]. Sa parenté avec le monde animal et sa rigueur vengeresse symbolisent « l'unité profonde et indissoluble de la pureté féminine et du caractère indomptable de la bête[25] ». Une fois de plus, la femme originelle, vraie fille de la mer et de la nuit, n'a d'autre raison d'être que de séduire et, tout à la fois, de punir.

Comparons ! Dans le récit yahviste de la tentation, les symboles du serpent, de l'arbre et de la pomme sont évidemment de nature sexuelle. Il n'en est que plus important de constater que l'auteur n'interprète absolument pas la relation originelle de l'homme et de la femme en terme de tragédie métaphysique de la sexualité.

Il n'est de peuple qui n'ait rassemblé ses expériences concernant le dilemme des relations entre les sexes, et il n'est de culture dont la poésie n'en exprime l'abondante moisson : mais il y a loin de la plainte liée aux difficultés qui opposent l'homme à la femme, jusqu'au sulfureux « catalogue des femmes » de Simonidès, dont le langage cru dépasse de beaucoup même le pessimisme conjugal d'Hésiode. Pour

22. K. KERÉNYI, *La Mythologie des Grecs*, Payot, p. 106-107.
23. K. KERÉNYI, « Die Geburt der Helena », p. 58.
24. *Ibid.*, p. 62.
25. *Ibid.*, p. 58.

Simonidès, la femme n'est autre chose qu'une espèce d'humain raté que les dieux de l'Olympe firent naître de la terre, et non plus de la mer, ou d'un porc, d'un renard, d'un chien en rut, d'un âne, d'un cheval, d'un singe ou d'une abeille ; elle ne « distingue ni le bien ni le mal » ; en fait de travail, elle ne sait que manger, et elle est si paresseuse que même par grand froid, elle se refuse à pousser sa chaise près du feu. Selon cet auteur, il n'est de femme, même celle qui semble valoir quelque chose, dont on ne puisse dire que « Zeus en a fait le pire mal qui soit », un entrelacs de liens dont l'homme n'arrive pas à se dépêtrer[26]. Toutes considérations qui se résument dans la constatation désabusée d'Hyponax le cynique : « De la femme, l'homme peut avoir deux bonnes journées : celle où il la prend et celle où il l'enterre[27]. »

Nul besoin de poursuivre plus loin cette revue amère et sarcastique de la mythologie, de la philosophie et de la poésie de la haine sexuelle, pour comprendre et apprécier le contraste qu'offre en ce domaine le renouvellement proposé par la théologie du Yahviste. Car celui-ci n'affirme ni plus ni moins que, en soi, la relation entre l'homme et la femme ne devrait déboucher ni sur l'échec ni sur le gâchis, ainsi que cela paraît toujours être le cas. Il se garde avant tout de voir dans la différence et dans la tension psychologique entre les deux sexes un dualisme ontologique de la création ou même une preuve du caractère contradictoire de la divinité, ainsi que le font la grande masse des mythes et des cosmogonies gnostiques. Il repousse plus que tout l'idée que Dieu aurait injustement inculpé l'homme d'une faute qui lui aurait été étrangère[28], remettant ainsi en cause sa création et transformant en véritable salle de torture ce qu'il y avait de plus humain en elle, l'amour. Voilà ce qu'il est interdit de penser de Dieu, entend dire le récit biblique ; tout comme il est également interdit de calomnier sa création et en particulier la femme. Il faut donc cesser de se démener dans le vain espoir de se justifier et d'échapper ainsi au dilemme suscité

26. SIMONIDES, « Weiberkatalog », dans G. WIRTH, *Griechische Lyrik*, p. 48-50.
27. *Ibid.*, p. 55.
28. *SB*, I, p. 25.

par sa propre incapacité d'aimer[29]. Acculés dans leur impasse apparente, l'homme et la femme en arrivent à se tourmenter. Le Yahviste refuse d'y voir l'effet de la volonté inflexible d'un dieu ricanant : il y décèle plutôt le signe du conflit fondamental que l'homme a engagé avec lui-même et avec son créateur. Il interprète théologiquement le combat psychologique qui oppose les deux sexes comme une variation de l'hostilité primitive de l'homme envers Dieu[30].

À l'origine, uni à Dieu, l'homme trouvait son bonheur absolu dans l'amour. Selon la Bible, cela reste vrai. Dans le Cantique des Cantiques, quand le fiancé cherche à décrire son aimée, il ne trouve d'autre comparaison que celle du paradis : « Elle est un jardin bien clos, ma sœur, ô fiancée [...]. Tes jets font un verger de grenadiers avec les fruits les plus exquis [...]. Source des jardins, pluie d'eau vive [...]. » Et la fiancée invite son bien-aimé : « Que mon bien-aimé entre dans son jardin, et qu'il en goûte les fruits délicieux » (Ct 4, 12-16). Ce langage symbolique est évidemment plein d'allusions sexuelles[31] : cependant sa signification globale n'est pas d'ordre sexuel, mais théologique. En recourant à l'image du paradis, l'auteur entend nous dire que l'amour est une force porteuse de tout le bonheur du monde, à partir du moment où l'homme se sent à l'abri en Dieu ; mais, quand il est séparé de Dieu, en termes imagés quand il est expulsé du paradis, il ne fait nécessairement que dépraver le monde, et, de ce fait même, il perd son propre cœur. C'est à partir de ce moment que les propos des mythes sur la malédiction de l'amour trouvent leur justification.

Mais qu'en était-il donc de l'amour à l'origine, dans le paradis, dans l'anneau du monde ?

L'amour surgit de l'aspiration à la complétude : la côte arrachée (Gn 2, 22).

On connaît particulièrement bien les récits populaires liés à la mythologie lunaire, ceux selon lesquels la femme est

29. *Ibid.*, p. 82-85.
30. *Ibid.*, III, p. 299-310.
31. *Ibid.*, II, p. 18-19 ; 22.

formée d'une partie du corps de l'homme[32]. Le récit du *Banquet* de Platon mérite spécialement de retenir l'attention : à l'origine, avant la différenciation entre l'homme et la femme, l'homme aurait été créé sous forme de sphère. Selon ce mythe, le désir d'amour viendrait du souvenir de cette unité primitive. L'homme sphérique, parfait, n'avait pas besoin d'amour et en était d'ailleurs incapable[33]. Dans cette perspective, l'amour homme-femme provient d'un appel à la complétude ; il n'a donc rien à voir avec le « don » dont rêvent maints idéalistes, car il apparaît d'abord comme expression d'une nécessité vitale de retrouver ce qui manque. Aussi longtemps que quelqu'un « roule » sur la terre, sans manque, il n'a pas vraiment besoin de l'autre, et encore moins de s'ouvrir pour se mettre à la recherche d'un vis-à-vis en qui il retrouverait ce qui lui ferait défaut en lui. En reprenant dans son récit concernant le paradis l'image de la côte arrachée, le Yahviste semble manifestement partager totalement cet avis. Cependant, une fois de plus, et de façon caractéristique, son récit se distingue des récits populaires. Dans les mythes, l'aspiration de l'homme pour la femme est la *conséquence* de la séparation et du dualisme ; et l'événement séparateur apparaît en outre comme quelque chose de totalement arbitraire ; bien plus, étant donné les troubles engendrés par l'amour, on en arrive à se demander si l'intervention séparatrice des dieux répond à une bonne intention de leur part, ou si elle n'est pas au contraire le fruit de leur méchanceté. Tout au contraire, dans le récit yahviste, l'appel à l'amour n'est pas le résultat d'une division arbitraire et ambiguë : il semble que Dieu lui-même ait eu besoin de découvrir l'impossiblité de se faire une image de soi-même sous la forme d'un être sphérique, parfait, capable de vivre dans l'autarcie totale et l'unité absolue[34] : il appartient à la nature créée de l'homme d'être sexué, à la différence de Dieu : c'est une nécessité ; et c'est pourquoi « il n'est pas bon que l'homme soit seul » (Gn 2, 18). Lorsqu'il fait tomber

32. *SB*, II, p. 30 ; 39-40 ; 47-49.

33. Voir 189c-190c. En ce qui concerne la fière solitude de la sphère originelle *(Sphairos)*, voir EMPÉDOCLE, Fragm. 27, Diels, 62 ; trad. fr. par Jean Voilquin dans *Les Penseurs grecs avant Socrate*, Paris, Garnier-Flammarion, 1964, p. 121-136 (spéc. 125).

34. *SB*, I, p. 19.

Adam dans un sommeil profond pour lui ôter une côte dont il « construira » la femme à la façon d'un chef-d'œuvre, Dieu se conforme donc à cette donnée fondamentale de la création.

En soustrayant cette côte, Dieu ne fait donc montre d'aucun arbitraire, comme c'était le cas dans les mythes, mais il obéit d'une certaine façon à une loi de la nature et à une sagesse auxquelles il se trouve lui-même lié tout autant que sa création. Ce n'est pas l'opération qu'il fait subir à Adam qui engendre en celui-ci le désir : elle ne fait que préciser et satisfaire l'aspiration qui était déjà en lui, en tant que créature.

Du sommeil d'une vie sans amour et de la gratitude envers la destinée (Gn 2, 22-23).

Le « sommeil profond » pendant lequel Dieu crée la femme est un véritable évanouissement paralysant, mélange d'angoisse, d'épuisement et de désespoir (voir Is 29, 10 ; Jb 4, 13 ; 33, 15 ; Jg 4, 21 ; Ps 76, 7 ; Qo 10, 5) — sommeil de malheureux, comme celui de Jonas au fond du bateau ou dans le ventre du poisson (Jon 1, 5-6). On peut penser qu'Adam, aussi longtemps qu'il ignore l'amour, vit en fait une espèce de somnolence mortelle. À la lettre, il ne « s'éveille » qu'en découvrant la femme que Dieu lui « amène » (Gn 2, 22). Il avait cherché dans tous les êtres vivants celle à laquelle son cœur aspirait, mais il ne l'avait pas trouvée ; et voici soudain qu'il la rencontre. Maintenant, il sait ce qui lui manquait : il s'aperçoit que l'être qui vient à sa rencontre est exactement celui qu'il désirait au fond de lui-même.

On peut alors comprendre le langage symbolique de la « côte » dont Dieu forme la femme : il n'est d'amour vrai qui ne découvre en l'autre l'incarnation exacte de ce qu'il ressentait au fond de sa poitrine. Cet autre lui apparaît comme la personnification du creux de son attente et de son désir lancinant, et il vient remplir l'espace vide à la façon de quelque chose que Dieu a exactement disposé pour cela. Dans l'amour, l'autre semble être l'incarnation d'un rêve poursuivi pendant une vie de quête vagabonde. Pour le dire autrement, l'amour consiste bel et bien dans le sentiment que, si l'autre n'existait pas, on devrait littéralement l'« arracher de ses propres côtes ».

L'amour suscite en même temps un sentiment de gratitude envers la « destinée » de Dieu. Car lorsqu'on s'éprend de l'autre, celui-ci surgit toujours dans la vie avec la force d'une disposition du destin : il apparaît comme un envoyé de Dieu. On ne l'a pas choisi ; plus qu'à n'importe quel autre moment de la vie, on sent à ce moment de bonheur fou comme une douce poussée, comme un appel caché auquel on ne peut se soustraire à moins de vouloir se contredire totalement soi-même. « Cette fois c'est elle ! » Ce cri d'Adam (Gn 2, 23) traduit parfaitement cette double impression de surprise et d'obligation, de hasard apparent et de nécessité intérieure, qui accompagne toute découverte de l'amour.

L'amour à la recherche du vrai nom de l'aimée (Gn 2, 23).

En apercevant la femme que Dieu fait entrer dans sa vie, la première chose que fait l'homme, c'est lui donner un « nom ». Dans la Bible, ce nom (fe-mâle) est clairement le féminin du mot homme (Gn 2, 23). Il traduit donc une appartenance intérieure de l'un à l'autre, une parenté de sang[35]. Mais plus encore que son contenu, c'est l'attribution du nom qui est significative, tout comme déjà le don d'un « nom » aux animaux disait quelque chose d'essentiel sur la relation de l'homme à la créature. En décrivant le « don du nom » à la femme, Gn 2 se fait plus précis encore qu'à propos des bêtes. Pour le Yahviste, il ne s'agit absolument pas d'une façon qu'aurait l'homme d'utiliser le langage pour soumettre la réalité à son empire ; il n'est pas question de recourir à des phonèmes arbitrairement choisis dans un système linguistique socialement disponible pour désigner les représentations précises qu'on se donnerait de la réalité extérieure, ainsi que le laissent à penser les axiomes de la linguistique structuraliste[36]. Tout au contraire, Adam *donne* à la

35. *SB*, I, p. 22.

36. Voir la distinction de Ferdinand de SAUSSURE entre représentation et phonème dans *Cours de linguistique générale*, Paris, Payot, 1972, p. 97-100.

femme le nom qui *s'impose* de par sa nature même : elle lui est apparentée comme l'« os de ses os » au point de ne pouvoir se nommer que Ishah, un humain qui est totalement homme, sauf en ce qu'il est femme, et donc différent dans sa similitude même. Pour donner à un tel nom un sens de similitude et de différence, l'homme doit renoncer à ne voir dans la langue que quelque chose de totalement indépendant de la réalité ; seule la philosophie qui réfère le langage au réel, celle qui va de W. von Humbolt à L. Weisberger, celle qui se penche sur la façon dont *le langage révèle la nature d'un être*, paraît capable d'offrir une interprétation convenable à cette façon de conférer un nom à tous les êtres, aux animaux, mais particulièrement à l'aimée[37].

En tout cas, à partir du moment où on comprend ce récit particulier comme l'expression de la réalité universelle, ce qui devrait toujours être le cas lorsqu'on veut interpréter les mythes primitifs, rien ne donne mieux à comprendre l'amour que cette façon de conférer un nom[38]. On ne peut qu'être d'accord avec le Yahviste : l'amour consiste normalement à rechercher sans cesse le juste nom de l'aimée. Dans son souci continu de comprendre encore mieux l'autre, et donc de le désigner, celui qui tombe sous le charme de l'être à la fois semblable et autre, de celle qu'il nomme donc « fe-mâle », ne cesse de se poser en même temps la question : Qui es-tu ? L'afflux des petits noms par lesquels les amoureux se nomment manifeste la joie qu'ils éprouvent à découvrir les multiples facettes de la personne de l'autre. Tous ces noms qu'on se donne n'ont d'autre but que de dire tout ce que signifie l'aimé(e) pour l'aimé(e), ce qui ne peut d'ailleurs déboucher que sur l'échec, puisque aucun nom ne peut dire cette altérité qu'on souhaiterait désigner et qu'on ne peut que laisser advenir. Dans la Bible, le mot « fe-mâle » est l'expression la plus juste de cette tendresse verbale, de cette patiente soumission du langage pour avoir part à ce que l'on trouve de merveilleusement admirable en l'autre.

37. L. WEISBERGER, *Vom Weltbild des deutschen Sprache*, I, p. 16 s.
38. *SB*, I, p. XVII-XXXI.

La figure adulte de l'amour en Dieu :
dans l'anneau du monde,
dans l'anneau du temps,
il faut quitter père et mère (Gn 2, 24).

Pour le Yahviste, le pouvoir de l'amour se manifeste avant tout dans sa capacité de faire de l'enfant un adulte. L'amour est ce qui ouvre un nouvel espace de sécurité dans lequel l'enfant peut renoncer à l'appui de ses parents, découvrir sa liberté intérieure et s'engager dans une relation nouvelle. Sans doute doit-on reconnaître qu'en un sens l'amour conjugal lui-même prolonge certains éléments de l'amour de l'enfant pour ses parents[39], et il faut toute la confiance en l'être aimé et en la force de sa propre personnalité pour se montrer capable de « quitter son père et sa mère et s'attacher à son épouse » (Gn 2, 24). Mais ce processus de maturation psychique pose implicitement un problème théologique majeur que nous aurons à expliciter dans notre étude de l'amour de transfert.

L'amour entre homme et femme provoque nécessairement la reviviscence de la relation affective de l'enfant à ses parents ; cependant, pour quitter vraiment son père et sa mère, il ne suffit pas de s'en séparer extérieurement pour fonder son propre foyer. Il s'agit bien plus de renoncer globalement à l'attente infantile d'une sécurité que garantiraient les autres. Selon Gn 2, 24, le mystère de l'amour suppose le renoncement à attendre d'un tiers la répétition ou l'équivalent de l'assurance que les parents apportaient à l'enfant ; et la question se pose alors de savoir dans quelles conditions un tel renoncement est effectivement possible. Du point de vue psychanalytique, le père et la mère sont des figures archétypales du désir de se sentir totalement accueilli et accepté. Fondamentalement, nul ne saurait jamais renoncer à une telle attente ; la seule manière de trouver une réponse à cette soif de repos total, c'est de renoncer à la chercher dans le monde intermédiaire des hommes pour l'ancrer dans l'absolu. Autrement dit, seule une foi préalable en Dieu rend capable de limiter à une dimension humaine et aux capacités humaines les attentes que nous projetons sur l'autre dès que nous l'aimons. Seul un ancrage religieux de l'archétype

39. Voir p. 41-43.

du père et de la mère dans l'absolu, en Dieu, permet à l'amour entre humains de rester humain ; lui seul en garantit la durée et la valeur ; ce qui permet alors de comprendre le point de vue du Yahviste selon lequel la foi en Dieu, donc l'ordre paradisiaque, est ce qui ouvre le véritable accès à la maturité, ce qui rend par conséquent l'homme capable de quitter son père et sa mère et de tisser une relation durable entre l'homme et la femme. C'est là l'arrière-plan qui permet aussi de comprendre pourquoi, dans le Nouveau Testament, Jésus tient à fonder à nouveau sur Dieu le *sacrement* de mariage (Mc 10, 11-12) : seule la foi redonne accès au sentiment d'assurance qui permet à deux humains de se lier indissolublement l'un à l'autre en ce monde.

Dans la perspective yahviste, ce qui met en danger le caractère sacramentel du mariage, ce n'est pas la peur de s'engager ou le refus de l'institution du mariage, ainsi qu'on entend souvent l'Église le reprocher à la « jeunesse actuelle » car ce caractère sacramentel se fonde sur une foi qui équivaut à un véritable retour au paradis, à une renaissance radicale. Il faut souvent des années de psychothérapie pour comprendre tout ce qu'implique au sens propre du terme cet appel à « quitter son père et sa mère », et une Église qui perd de vue l'ampleur de la difficulté n'a pas le droit de promulguer des lois plus dures que celles que Moïse croyait déjà devoir édicter à cause même de la dureté du cœur de l'homme. « Dureté de cœur » : chez les prophètes d'Israël, cette expression ne désigne pas une insensibilité à l'autre qu'on pourrait changer avec un peu plus de morale, de tenue ou de bonne volonté ; elle renvoie à une réalité purement religieuse, à l'abandon de Dieu, à cette maladie de tout l'être qu'est le venin de l'angoisse. On ne saurait comprendre le mystère de l'amour humain, de sa réussite comme de son échec, sans le relier au problème de la relation à Dieu et au rappel de l'ordre du paradis.

Pour le Yahviste, l'amour constitue donc un critère important de discernement de ce qui se joue à travers l'amour de Dieu. Dans la mesure où les humains se retrouvent, ils sont en même temps reconduits à cette réalité dans le cadre de laquelle Dieu a pensé l'homme. L'anneau de l'amour est un effet, une confirmation de la sécurité que l'on trouve dans l'anneau du monde, dans l'anneau du temps : ce n'est que dans la mesure où ils se retrouvent chacun chez soi que des humains peuvent se construire ensemble un foyer et inversement ce n'est que grâce à l'alliance d'amour que l'espace terrestre devient un chez soi. En même temps, jamais la force de l'amour n'est plus sensible que lorsque l'expérience du temps débouche sur une orbite circulaire : l'amour ne réclame ni « progrès », ni « transformation » ni continuité linéaire ; il appelle la stabilité, la conservation, la répétition sans fin et le renouvellement perpétuel. Rien n'est plus opposé à la bousculade et à l'essoufflement d'un Occident féru d'histoire que le bonheur des amoureux : pour eux, le temps s'arrête, ainsi qu'on le dit souvent. Ils sont inscrits dans l'anneau du temps comme dans l'éternité.

L'innocence originelle de la sexualité — l'unité de la chair (Gn 2, 24).

Le Yahviste considère l'expérience sensuelle comme faisant partie intégrante du constant désir de répétition de l'amour : ceux qui s'aiment, déclare-t-il, deviennent ou veulent, et même doivent nécessairement être « une seule chair » (Gn 2, 24). Sans doute, en hébreu, ce mot peut-il vouloir dire aussi « communauté de vie », ou « parenté », mais, ici, aussi et avant tout « sous l'aspect corporel »[40]. Aucun doute, en l'utilisant, l'auteur parle de l'unité de l'homme et de la femme en des termes qui excluent la distinction moralisante, et les subtilités, si artificielles, entre le « corporel » et le « spirituel ». Il est important d'y insister, car on retrouve constamment dans le fond mythologique populaire l'idée selon laquelle le Yahviste aurait vu dans le péché originel la première relation sexuelle entre l'homme et la femme et dans la tentation d'Ève une tentation de désir sexuel.

Du point de vue de la psychologie des profondeurs, il est indéniable que le langage symbolique de Gn 3, 1-7, ce qu'on appelle le « récit du péché originel », exprime un thème sexuel[41]. Il est également vrai qu'il renvoie à unc perception archétypale liant découverte de la sexualité et expérience de la mort : multiplication de l'espèce et mort de l'individu

40. H.W. Wolff, *Anthropologie des Alten Testamentes*, 1973, Munich, p. 52-53.

41. *SB*, II, p. 101-124 ; I, p. 17-18.

forment originellement un tout et se conditionnent l'une l'autre[42].

Mais un des soucis majeurs du récit yahviste est précisément de surmonter les ambiguïtés théologiques et anthropologiques des nombreux mythes selon lesquels les humains auraient sombré dans le péché du simple fait de s'éveiller à la vie d'adulte, donc en perdant l'innocence enfantine et en découvrant l'opposition de la vie et de la mort, de l'amour et de la guerre, de la naissance et de l'ensevelissement, de la condition masculine et de la condition féminine. Notre auteur tient avant tout à montrer la bonté fondamentale de Dieu lui-même, mais aussi de toute sa création, sans restriction, sans mélange. Il est pour lui capital de bien faire voir que le dilemme du bien et du mal n'a rien à voir avec une nécessité métaphysique de l'être créé. Il faut le répéter, car il ne cesse d'insister sur ce point : tout, l'univers entier, l'ensemble des êtres et l'homme, sont bons tant qu'ils restent unis à Dieu. Le fait d'être créé, la contingence, ne deviennent malédiction que si l'on se détourne de lui. Tel est bien le sens de « la connaissance du bien et du mal[43] ». C'est la séparation d'avec Dieu, sur fond d'angoisse et d'exigences infinies, qui fait de l'amour entre l'homme et la femme un problème insoluble, un dilemme moral, car alors, et alors seulement, la sexualité entre dans l'orbite du péché[44]. Pour le Yahviste, ce n'est pas sexuellement que l'homme pèche, mais bien au contraire, c'est parce que le péché est survenu que la sexualité devient malédiction et qu'elle se transforme elle-même en péché, un fait qu'exprime en particulier, en Gn 6, 1-4, l'histoire du « mariage avec les anges »[45].

On n'insistera donc jamais assez sur le fait que le Yahviste se refuse à décrire le paradis de l'amour comme une « innocence » asexuée ou une pureté angélique. La formulation de Gn 2, 24, « ils ne seront qu'une seule chair », traduit au contraire explicitement le caractère innocent de la vie sexuelle. Pour le Yahviste, rien de ce qui concerne l'amour n'est entaché de péché. En nous présentant l'histoire originelle, il insiste uniquement, mais avec force, sur le fait que c'est la

42. *Ibid.*, I, p. 41 ; II, p. 600.
43. *Ibid.*, I, p. 17 ; 48-53.
44. *Ibid.*, III, p. 297-299 ; 411-443.
45. *Ibid.*, p. 310-324.

séparation d'avec Dieu qui déforme et détruit l'amour. Pour lui, le problème réside dans le fait de se détourner de Dieu et d'entrer dans la sphère de l'angoisse, et non dans la sexualité.

Il ne faut donc attribuer qu'une portée métaphorique, autrement dit purement poétique, à ces textes littéraires qui ne cessent de dépeindre la chute originelle sous forme de séduction d'une fillette intègre et bien protégée, arrachée soudain au jardin de l'enfance par le tourbillon des sens et précipitée dans la fatalité de la faute. Dans son récit, sensible et douloureux, intitulé « La Confession d'une jeune fille », Marcel Proust a en particulier érigé en véritable monument cette façon de penser. Il décrit rétrospectivement la tragédie d'une jeune fille de vingt ans qui grandit à l'ombre d'une mère du grand monde, et qui, auprès d'elle, apprend à considérer la pureté de l'âme comme le bien suprême et le devoir absolu. Il a cependant suffi d'une courte séparation, au moment de la puberté, pour qu'un cousin l'initie aux mystères de la sexualité « des choses [...] qui [...] me firent frissonner aussitôt de remords et de volupté[46] ». À mesure que le temps passe, elle parvient de moins en moins à échapper à cette division entre l'instinct vital du désir et sa conscience coupable qui la pousse vainement à retrouver la pureté perdue. Éveillée, sa concupiscence tend au contraire à envahir peu à peu tout son être. Progressivement, la volonté originelle de se combattre elle-même en est paralysée. Sa mauvaise conscience ne se traduit plus que par le respect de l'étiquette sociale. En réalité, la jeune fille ne vit bientôt plus vraiment, déchirée qu'elle est entre son honorabilité apparente et son mépris intérieur. Ses sentiments mêmes, son amour meurent, anesthésiés par ce mélange de sentiment moral et d'habitude du vice. Voici qu'un jour on la surprend en situation non équivoque avec un amant ; sa mère, cardiaque, en est frappée au cœur. Elle-même tente de mettre fin à ses jours d'un coup de pistolet. Mais même la façon dont elle meurt vient répondre à la nature morale de sa faute : la balle n'est pas immédiatement mortelle, mais on ne peut l'extraire. La jeune fille meurt lentement, jour après jour,

46. Marcel PROUST, « La Confession d'une jeune fille », dans *Les Plaisirs et les Jours*, Paris, Gallimard, 1924 ; coll. « Folio », p. 161-182.

mais pour une raison absolument certaine : « accidents du cœur[47] ».

Dans cette nouvelle, Marcel Proust nous fait clairement voir le trouble de la pensée morale. L'innocence originelle, la pureté enfantine de la jeune fille ne relèvent pas d'une relation (adulte) de l'homme à Dieu, comme c'est le cas dans le récit du Yahviste, mais de l'obéissance à la mère. La dimension théologique est donc rabaissée à une dimension psychologique et sociale. Les parents prennent la place de Dieu. Le bon, ce n'est plus la nature telle que Dieu l'a voulue pour l'homme, c'est la convention sociale. Dans ce cadre du code moral de la société, la contradiction entre la sensualité et la moralité constitue déjà une donnée évidente qui ne procède plus de l'angoisse de l'homme, ainsi que c'est le cas en Gn 3, 1-7, mais qui devient constitutive de l'être humain[48]. La conséquence, c'est qu'on projette sur le temps de l'enfance une « innocence » qui veut encore ignorer toute contradiction morale, en particulier en matière sexuelle, et qu'on déclare « paradisiaque » ce temps de l'obéissance aux parents, celui où les excitations du cœur n'existent, prétend-on, pas encore. Inéluctablement, la tragédie de l'échec moral vient faire éclater la fausseté de ces façons de voir : on ne saurait interdire de grandir, et une morale qui déclare coupable en soi l'instinct et la volonté de vivre ne peut que forcer au mensonge, tout comme elle est elle-même mensongère.

En revanche, le Yahviste tient absolument à rendre son innocence à la sexualité humaine, à l'encontre de la dénonciation que lance contre elle la morale sociale. En fondant théologiquement les contradictions de l'existence humaine, il introduit dès le départ une perspective qui ne fait percevoir dans la morale qu'une donnée secondaire, dérivée. En d'autres termes, on ne saurait guérir des embarras de l'amour par des mesures morales et légales, mais seulement en redonnant une confiance capable de compenser l'angoisse de l'existence humaine, une confiance qui permet d'être « bon » et « innocent », au sens que la morale donne à ces mots. Les humains dont le Yahviste parle en Gn 2, 24 n'ont rien d'enfants mineurs, donc innocents *en ce sens*. Ce sont

47. *Ibid.*, p. 175 s.

48. Voir l'antinomie de la nature et de la culture dans la philosophie de Kant dans *SB*, III, p. 19-20.

des adultes qui trouvent leur sécurité en Dieu, de telle sorte qu'ils peuvent se rencontrer, s'aimer et se découvrir de tout leur cœur et de toutes leurs forces.

Pas de honte aux yeux de l'aimé : le miracle de l'échange.

Aux yeux du Yahviste, la meilleure preuve de cette innocence, c'est que l'amour ignore la honte. Ici encore, il faut refuser l'étroit stéréotype sexuel toujours renaissant dès qu'il est question de « nudité » et de « pudeur ». Pour notre auteur, la honte la plus originelle ne provient pas du fait d'être nu, mais de celui d'être à nu, de sentir tout son être exposé à l'autre, alors qu'on a cessé de ressentir sa propre existence, avec sa contingence et sa finitude, comme justifiée par Dieu. En concrétisant de façon extraordinairement forte ce thème de Gn 3, 7, Jean-Paul Sartre a décrit le sentiment brûlant qu'on peut éprouver à sentir sur soi le regard de l'autre sans pouvoir dire pourquoi il existe une réalité telle que soi[49]. Le sens final de la honte sexuelle, c'est cette sensation de se trouver fondamentalement « nu », injustifié, minable, et à coup sûr jamais assez bon aux yeux de l'autre : exacte antithèse du sentiment que l'amour seul engendre, celui de pouvoir se montrer à l'autre tel qu'on est, sans avoir besoin de se cacher de lui. La réciproque est tout aussi vraie ; tant que l'angoisse domine, on évite le risque de l'amour ; on tente plutôt de masquer à l'autre ses faiblesses, sa nudité, pour ne lui laisser voir que ce qu'on appelle ses bons côtés — ce que la première psychanalyse a soupçonné, lorsque, voulant tout théoriser en termes organiques, elle a parlé du *complexe de castration*[50]. L'impression de n'être jamais suffisamment digne d'amour et de ne pouvoir même pas se confier à l'autre pour connaître sa vérité définitive finit par bloquer toute relation humaine authentique. Elle rabaisse l'amour au niveau d'une mascarade faite d'humiliations réciproques, ne faisant ainsi que renforcer sans cesse le sentiment d'infériorité. En revanche, rien ne rend l'autre aussi digne d'amour que la certitude confiante de n'avoir

49. *SB*, III, p. 207-209 ; I, p. 51 ; 59 ; 79-81.
50. *Ibid.*, II, p. 203-221.

nul besoin d'avoir honte devant lui, de pouvoir être « nu ».

Fondamentalement, cette certitude confiante d'être suffisamment bon aux yeux de l'autre et de pouvoir tranquillement communiquer avec lui dans la vérité totale de son être ne fait que reprendre le thème de la complémentarité qui s'exprimait déjà dans l'image de la côte soustraite à Adam[51]. Car, de façon merveilleuse, l'amour aime précisément ce qui est inaccompli, ce qui a besoin de complément. Dans l'amour, on voudrait sentir ce qu'on signifie pour l'autre, ce qu'on peut lui donner, et rien n'est plus mortel pour l'inclination réciproque que le sentiment que l'autre a déjà atteint son achèvement et peut vivre dans l'autarcie ; qu'il serait en quelque sorte devenu un « être sphérique » ; qu'il n'a plus besoin de rien et qu'on n'a donc plus rien à lui apporter. L'impulsion sexuelle, la recherche de la nudité de l'autre et le fait de se laisser prendre par elle ne sont le plus souvent que le pur symbole de ce qui se passe vraiment dans le cœur de deux personnes qui s'aiment : en recherchant leur nudité, leur manque, le creux de l'autre, ce n'est plus le désir d'humilier qui commande, mais celui de fournir en sa propre personne ce qui manque à l'autre. Pour bien faire voir la nature de cette relation, il est possible de rappeler le comportement des peuples dits « primitifs ». Dans la saga indienne *Hanta Yo*, aussi savoureuse littérairement qu'ethnologiquement, Ruth Beebe Hill rapporte un propos du shaman sioux Ahbleza traduisant fort bien le sens de la parole « Tous les deux, l'homme et la femme, étaient nus, et ils n'avaient pas honte » (Gn 2, 25). Il s'agit d'une scène où le jeune Ahbleza vient de marquer son désaccord avec la façon dont son père fait toujours valoir sa virilité et sa bravoure ; il vient enfin de comprendre à quel point son père entrave son propre développement, et il l'a intérieurement vaincu ; c'est pourquoi, au lieu de se présenter à son peuple comme un propriétaire, ainsi que le faisait son père, il préfère paraître comme celui qui donne tout ce qu'il a, tout son bien, y compris les idées, qui lui sont venus de l'extérieur ; il se dépouille donc de ses vêtements, de ses fourrures, de ses chevaux, de ses armes, pour ne plus vivre que dans la nudité et

51. Ce qui constitue également un symbole de castration ; voir *SB*, II, p. 39-42.

découvrir ainsi le sens de la pureté. Or, au moment où il s'éloigne du camp, complètement nu, il perçoit tout d'un coup le pas d'une femme ; se voyant ainsi sans aucun vêtement, il ressent un intense sentiment de honte ; et voici que surgit devant lui Heyatawin, l'amour de sa jeunesse ; elle le regarde en face, et ses yeux font bien voir que rien en lui ne suscite sa compassion ou sa pitié. « Elle remettait plutôt sa propre personne entre ses mains, elle s'offrait à lui pour remplacer tout ce qu'il avait rejeté. » Et lui, encore tout honteux, de dire : « Tu vois, ma sœur [...] vois ma bassesse ; tu vois quelqu'un qui n'a plus rien. » Et elle : « Je ne vois rien de bas en toi, mon cœur. » Ce à quoi elle ajoute : « Je te remercie, toi, mon véritable ami, de me laisser avoir part à ta présence, que tu consentes à ce regard sur toi. Je vois des yeux qui débordent non pas de larmes, mais de l'étincelle de l'esprit. Je suis femme, et je le sais. » Ahbleza, écrit R.B. Hill, ressentit à ce moment « comme un accomplissement, comme une vague de chaleur, comme s'il se découvrait enclos en un lieu de repos, un lieu où il pourrait demeurer jusqu'au moment où il aurait à décider de le quitter, un lieu où il reviendrait dès que le manque s'en ferait sentir. Jamais auparavant aucun échange de cadeaux ne lui était paru aussi semblable à un miracle[52]. »

Ce miracle de l'échange, c'est l'amour : on éprouve l'autre comme sien, non pas tant à cause de ce qu'il possède, mais à cause de ce qui lui manque ; et à l'inverse, on ne perçoit plus comme humiliant le fait d'avoir besoin de l'autre pour devenir totalement soi-même, mais on se sent au contraire exalté par la présence gratifiante de l'autre.

Ici, on peut également parler du miracle du retournement intérieur que provoque l'amour ; car il n'est pas rare de voir ce dont on croyait le plus avoir à rougir devenir ce qu'il y a de plus précieux aux yeux de l'aimé ; et ce jugement apprend soudain à retrouver l'amour de soi. C'est là cependant un nouveau thème qui suppose déjà la découverte de la honte, le retour au paradis perdu et au bonheur de l'amour à la lettre « éhonté ».

52. R. B. HILL, *Hanta Yo*.

La promesse de la terre.

Finalement, pour montrer la possibilité de découvrir le monde comme paradis, il n'est peut-être pas de meilleure image que la vision que ce grand interprète des abysses humains, l'écrivain russe F. M. Dostoïevski, prête dans *L'Adolescent* au fou de Dieu, Makar Ivanovitch. Pénétré de l'idée dont témoigne le récit yahviste concernant le paradis, selon laquelle l'homme ne saurait vraiment vivre sans Dieu, Dostoïevski fait dire au vieux pèlerin qu'il n'a sans doute encore jamais rencontré dans sa vie un seul véritable athée. Au lieu de quoi, déclare-t-il, il n'a jamais vu que des gens toujours en train de bouger. « Je vous dirai encore, ajoute-t-il, qu'on ferait mieux de dire que vivre sans Dieu n'est que tourment. Il arrive ainsi que nous maudissons ce qui nous éclaire, et cela sans même le savoir. Et quel bon sens y a-t-il ? L'homme ne peut pas vivre sans s'agenouiller ; il ne le supporterait pas ; aucun homme n'en serait capable. S'il rejette Dieu, il s'agenouille devant une idole, de bois, ou d'or, ou imaginaire. Ce sont tous des idolâtres, et non des athées, voilà comment il faut les appeler[53]. »

Cette inquiétude de l'existence sans Dieu : voilà bien ce que peint le Yahviste à travers le personnage de Caïn, maudit par Dieu et condamné à mener une vie de vagabond ballotté sur la terre, fuyant devant la face de Dieu, fuyant devant les hommes, éternellement banni de la surface de la terre (Gn 4, 16). Mais c'est justement parce qu'il est ainsi inquiétant et terrible de vivre sans Dieu que le négatif peut se retourner en force d'espérance, et le Yahviste a raison de terminer son histoire des origines par la promesse que Dieu fait à Abraham de lui donner un jour une terre où lui, Dieu, habitera avec les hommes, et où tous les peuples de la terre retrouveront enfin leur véritable vocation et leur unité fondamentale (Gn 12, 1-3). Redécouvrir ainsi le paradis à partir de l'inquiétude et de la déchirure, ce n'est pas autre chose que se recevoir de la main de Dieu, soi-même, mais aussi tous les humains, et le monde entier, dans l'aube de l'action de grâce enfin réveillée.

C'est ce moment de simplicité recueillie dans la prière et

53. F. M. DOSTOÏEVSKI, *L'Adolescent*, dans *Œuvres*, Paris, Gallimard, coll. « Bibl. de la Pléiade », t. I, p. 406.

de bonté universelle envers tous les êtres vivants que rappelle Makar Ivanovitch, et il faut reprendre ici ses paroles, car elle nous donne une certaine idée de la vision qui animait le Yahviste lors de la composition de son récit : « C'était un jour de cet été, au mois de juillet ; nous marchions en pèlerinage vers le monastère de la Mère de Dieu, pour nous rendre à la célébration. Plus nous approchions du couvent, plus nous voyions d'autres pèlerins se joindre à nous [...]. Tous ensemble, nous passâmes la nuit en plein air, et je m'éveillai tôt, le matin, alors que tous dormaient encore et que le cher soleil ne faisait que pointer derrière la forêt [...] je laissai mon regard errer autour de moi, sur la terre, et je respirai l'air. Partout la beauté, inexprimable. Tout est tranquille : l'air est léger. L'herbe croît — grandissez seulement, herbe de Dieu ! Un oiseau chante — chante seulement, petit oiseau du bon Dieu : un enfant geint doucement dans les bras d'une femme — Dieu soit avec toi, petit homme, grandis vers le bonheur, toi qui es né ! Et ce fut soudain comme si, pour la première fois dans ma vie, j'avais reçu tout cela [...]. Je reposai la tête et je me réendormis si légèrement. Que le monde est beau, mon cher ! Vois-tu, si je pouvais aller mieux, je voudrais repartir au printemps. Et que le monde soit un tel mystère, voilà qui le rend encore plus beau. Devant tout cela, le cœur vous saute dans la poitrine, et il s'étonne de ce miracle. Et, d'étonnement, le cœur de l'homme passe de la crainte à la joie : tout est en toi, ô Dieu, et moi aussi je suis en toi ; reçois-moi ! Ne murmure pas, jeune homme, c'est d'autant plus beau que cela reste un mystère, ajouta-t-il[54]. » Ce saisissement dans la joie de la reconnaissance : voilà ce qu'est le paradis à la fois perdu et toujours essentiellement présent en chaque être humain. C'est ce qui nous est promis, ce qui peut s'accomplir dans l'anneau de l'amour, dans l'anneau du temps ou dans l'anneau du jardin de Dieu, au cœur de cet admirable monde. Puisse Dieu venir calmer notre angoisse !

54. F. M. DOSTOÏEVSKI, p. 389.

DOCTRINE ET MORALE CONJUGALE À LA LUMIÈRE DE LA PSYCHANALYSE

L'idée que l'Église catholique se fait du mariage repose essentiellement sur les paroles de Jésus dans l'évangile de Marc (Mc 10, 1-12). C'est en s'appuyant sur ce passage qu'elle affirme dogmatiquement le caractère sacramentel de l'union, moralement son indissolubilité, canoniquement l'impossibilité du remariage des divorcés. Tout repose donc sur cette phrase décisive : « Ce que Dieu a uni, l'homme ne doit pas le séparer » (Mc 10, 9). Le discours théologique sur l'union conjugale a donc pour champ le sens de ces mots.

Ce sont ces paroles de Jésus que je voudrais étudier, d'un point de vue non pas exégétique, mais psychanalytique et dogmatique. Que veut dire : « ce que Dieu a uni » ? » Que peuvent signifier ces mots concernant l'amour de l'homme et de la femme ? Quelles conséquences faut-il en tirer ? Nous en discuterons en comparant et en différenciant l'interprétation qu'en propose la théologie et certaines considérations de la psychologie sur le mariage et l'amour. Nous illustrerons parfois nos idées en puisant dans certains textes littéraires, car ils nous offrent une formulation des problèmes généralement plus accessible que les données immédiatement tirées de l'expérience personnelle.

La plupart des difficultés de l'amour relèvent de certains mécanismes de transfert. C'est donc en priorité l'analyse de ceux-ci qui doit nous permettre de déceler les conditions rendant possible l'« indissolubilité » du mariage, telle que l'exige le dogme catholique.

Notre première partie traitera donc *psychanalytiquement* du problème du transfert amoureux, ce qui nous permettra dans une seconde partie d'étudier les conséquences *théologiques*, surtout morales et canoniques, à tirer de ce premier dossier.

Le dossier psychanalytique

L'amour est de Dieu.

La première constatation que l'on peut faire à propos du texte de Marc 10, 1-12 semble évidente : pour Jésus, ce qui lie l'homme et la femme, c'est l'amour, et celui-ci vient de Dieu. Le problème capital est alors de savoir ce que peut signifier ce caractère divin de l'amour, car, de tous temps, on en a eu les visions les plus diverses.

Selon Jésus, on peut reconnaître que cet amour vient de Dieu au fait qu'il n'existe pas de puissance humaine plus forte que lui. Point de vue qui correspond à l'expérience quotidienne. Quels que soient les obstacles et les difficultés qu'on puisse lui opposer, rien ne peut le vaincre. Pour tenter de lui faire obstacle, on peut se déchirer, se haïr, se détruire, mais cela même ne fait que rendre témoignage de son caractère indestructible. C'est pourquoi l'Ancien Testament déclare que « l'amour est fort comme la mort. Même des torrents ne sauraient l'éteindre » (Ct 8, 6-7). Et, de manière analogue, une vieille légende perse rapporte l'histoire de Majnûn, le jeune bédouin : par amour pour Leïla, que son père a donnée en mariage à un autre, il s'enfuit dans le désert, où il vit désormais au milieu des bêtes sauvages, nu et solitaire, sans espoir et sans crainte, fou criant au vent ses poèmes d'amour. À un roi arabe qui avait voulu le voir et lui demandait le secret de son amour, il répliqua :

> Ah, si ceux qui me blâment
> pouvaient voir la beauté de Leïla,
> ils me pardonneraient
> et comprendraient [...].

Le roi demanda alors qu'on lui fasse voir cette Leïla. Il fut très déçu de ne trouver qu'une maigre noiraude brûlée par le soleil, infiniment moins belle que n'importe laquelle des esclaves de son harem. Mais Majnûn, devinant les pensées du roi, lui lança ces vers :

> Tu es aveugle à la beauté de Leïla.
> Que faire ?
> Tu dois la voir avec les yeux de Majnûn [...][1].

Telle est l'énigme de l'amour, de cette invincible réalité qui échappe à la raison humaine.

La divinisation de l'amour dans la mythologie.

Les traditions populaires sont pleines d'histoires de ce genre.

Les mythes des Anciens n'hésitaient pas à prendre pour scène l'univers entier, et à présenter toutes les phases, ardeur, extinction et renaissance, de l'amour entre un soleil et une lune séparés par tout l'espace du cosmos et sans cesse à la poursuite l'un de l'autre[2]. Car, pour eux, c'était de la force de l'amour que vivait l'univers entier, même si, en définitive, son extériorité native en entravait la réalisation dernière. Ils considéraient cet amour comme une force constitutive des éléments du monde, comme une poussée cosmique, comme une donnée irréductible. Pour eux, il était en quelque sorte divin. Ils n'en comprenaient pas moins ce caractère divin de tout autre manière que ne le fait la Bible. Chose facile à constater, quand on compare l'expérience sous-jacente aux mythes populaires et celle qui sous-tend la Bible.

De la mythologie grecque, on retiendra d'abord Éros, le dieu de l'amour, celui qui régit le cœur de l'homme, celui que l'on incarne sous des traits parfaitement grotesques. Les Grecs se le représentaient sous la forme d'un joyeux luron

1. Scheich SAADI (vers 1250). Voir la magnifique traduction (partielle) de A. MIQUEL : *Majnûn. L'amour poème*, Sindbad, 1984.

2. E. SIECKE, *Die Liebesgeschichte des Himmels. Untersuchungen zur indogermanischen Sagenkunde*, Strasbourg, 1892, p. 3.

décochant à l'improviste dans les cœurs des flèches empoisonnées, ôtant ainsi leur liberté à ses victimes[3]. En d'autres termes, selon cette vision des choses, les humains sont les proies du chasseur divin. L'amour les enflamme comme des animaux ; il fait irruption dans leur cœur à la manière d'un brusque accès qui les transforme en petits drôles. En portant son coup, le dieu de l'amour ne pense pas à mal ; mais les effets du poison qu'il déverse n'en sont pas moins profondément tragiques et comiques. L'amour transforme la vie humaine en un spectacle sans fin, en un extraordinaire théâtre. Tout comme l'art, l'amour se situe par-delà le bien et le mal ; échappant à tout jugement éthique, il constitue une expression capricieuse et incontrôlable du plaisir divin, une énergie de l'ordre de la liaison chimique semblable aux « affinités électives » de Goethe[4].

On ne saurait nier que la vie humaine vienne largement donner raison à cette vision grecque (ou romaine) du dieu Éros (ou Amor). Il n'existe rien qui bouleverse autant la vie, trouble le sens, ravisse l'entendement, réduise à rien des années d'éducation et de fidélité, rende ridicules les projets et les plans les plus nobles que le doux poison de la flèche de l'amour, que le curare psychédélique du dieu Éros. En ce sens, s'il est dans les mythes quelque chose qu'on puisse dire « divin », c'est bien lui. À la lettre, mythes grecs et Bible s'accordent bien à son sujet. Et pourtant, une distance infinie les sépare.

L'humanité de l'amour en Dieu.

Quand la Bible parle de divinité de l'amour, elle ne voit sûrement pas en elle la divinité tragi-comique des Grecs. Bien sûr, elle connaît la force éminente et la signification de

3. C'est ainsi que, pendant le combat des géants, Éros transforme la colère de Porphyrion en désir tel qu'il cherche à violer Héra. Voir R. VON RANKE-GRAVES, *The Greek Myths*, 1955.

4. « Ces natures qui, lorsqu'elles se rencontrent, s'emparent rapidement l'une de l'autre et se déterminent l'une l'autre, nous les disons apparentées [...]. C'est la complication des cas qui fait leur intérêt. C'est alors qu'on découvre les degrés de parenté, les liaisons plus ou moins étroites, fortes. » Goethe fut conduit à cette idée de parenté élective par son amour (vain) pour la jeune Minna Herzlieb à Iéna. W. GOETHE, *Les Affinités électives*, trad. J.-F. Angelloz, Aubier-Flammarion, 1968, t. I, p. 121.

l'amour dans le cœur de l'homme, mais elle se défend d'identifier cette force avec Dieu même. Pour elle, dire que l'amour est *de* Dieu ne revient pas du tout à dire qu'il *est* Dieu. Cette différence n'est pas une simple question de mots ; elle est capitale pour tout ce qui suit. C'est ce que peut faire voir l'interprétation du récit biblique de la création de l'homme.

Au début de l'Écriture, en Gn 2, 4-25, on pourrait croire que c'est même la création qui conduit Dieu à faire une découverte. Il vient de créer l'homme, et il l'a établi dans un monde dont il a fait un vrai paradis ; et pourtant, presqu'à la stupéfaction de Dieu, voilà que cet homme n'y est pas heureux : bien au contraire, il sombre désespérément dans le sommeil. À la différence de Dieu, l'homme ne peut pas vivre seul. Autour de lui, il a pourtant la création tout entière, et en premier lieu les animaux, prêts à devenir les partenaires d'un dialogue : il leur a parlé, les a inclus dans le champ de son amour. Et pourtant, il cherche quelqu'un de semblable à lui et ne le trouve pas[5].

Ce désir de l'homme se recherchant soi-même en la personne d'un autre que lui-même se retrouve en chacun, entend dire le mythe yahviste, celui auquel renverra par la suite la citation de Jésus en Mc 10. En recourant à l'image de la *côte* que Dieu lui ôte, tant qu'il n'a pas retrouvé en un autre humain ce qui lui fait défaut, la Bible affirme que tout être humain est tellement marqué par cette aspiration qu'il ressent comme un vide en sa poitrine. Il y a en tout homme quelque chose qui traduit un manque, donc quelque chose qui l'habite et qui lui est propre, et quelque chose qu'il ne peut pourtant recevoir que de l'extérieur. Conformément au vieux récit mythique, ce vis-à-vis de l'amour a la forme de son propre manque ; l'aimé a toujours la forme complémentaire de sa propre blessure. En d'autres termes, le récit affirme que, s'il n'y avait pas la femme, l'homme devrait s'arracher une côte de la poitrine. C'est de cette femme que l'homme a besoin pour devenir un être « total » et « bon ». Comme l'affirme le texte, le partenaire de l'amour est donc un complément nécessaire de son être total, une « aide » (Gn 2, 18), et le premier motif de l'amour n'est pas le don à l'autre, l'offrande de soi, ainsi que l'affirment nombre

5. *SB*, I, p. 20-21.

d'idéalistes romantiques, mais l'égoïsme de son propre accomplissement, la loi divine de la nature qui est celle de sa propre totalité.

Selon la Bible, cette loi interne de l'amour n'est pas celle de Dieu, mais elle est de Dieu. Elle est si essentielle à l'homme que Dieu lui-même, dans son œuvre créatrice, doit finalement en tenir compte. Lui, Dieu, est en soi absolu. *Lui* n'a besoin d'aucun partenaire et il ne connaît jamais la solitude. Mais l'homme, lui, ne saurait devenir lui-même qu'à travers ce manque dans son cœur, ce trou dans son désir, cette carence d'autarcie absolue. Celui qui rencontre l'être destiné à le compléter refera toujours l'expérience que décrivait déjà la Bible : il le découvre comme celui que Dieu a disposé sur le chemin de sa vie, comme celui qu'il lui « présente » (Gn 2, 22), au point qu'il voit dans cette rencontre l'intervention d'une « destinée », d'une « disposition » échappant à ses propres plans et à son influence, mais envers laquelle il ne peut éprouver que de la reconnaissance à partir du moment où elle s'affirme.

Telle est bien la première différence qui sépare la Bible de la mythologie grecque par exemple. Pour la première, le Dieu de l'amour n'a rien à voir avec un gamin joueur : il est un créateur plein de sagesse et de compréhension qui connaît profondément l'homme et répond de façon très conséquente à ses besoins. Ainsi l'amour est-il *de* Dieu. On peut en reconnaître le caractère divin au fait qu'il provient de l'intérieur, qu'il résulte d'un manque, d'un besoin, qu'il se niche au creux du cœur, dans le vide de sa propre poitrine. Il est donc quelque chose d'essentiellement approprié, et non une sorte de hasard, résultat d'un attentat bien machiné ou de la puissance d'une destinée faisant fondre sur l'homme coup dur sur coup dur. Si l'on veut distinguer la vision biblique de la vision grecque de l'amour, on doit donc dire que l'amour de l'Éros grec est, psychologiquement parlant, un « complexe », un nœud d'instincts non intégrés, une espèce de jeu et de caprice d'enfant conduit par une toute-puissance divine impossible à maîtriser ; tandis que l'amour suscité par le Dieu de la Bible est, non plus réalité imposée de l'extérieur, mais accomplissement de l'homme et nécessité interne de son être. L'Éros grec est incarnation d'un événement de la nature, personnification d'une puissance qui vient finalement ravir à l'homme sa personnalité, sa liberté et sa conscience ; l'amour qui, selon le récit de la création, vient de Dieu, vient élever la personne et la conduit à l'unification de son être.

C'est ici que, par opposition au mythe grec, l'expression capitale de Mc 10, « ce que Dieu a uni », acquiert enfin sa pleine signification. L'amour, autrement dit l'aimé, n'appelle par soi aucune adoration divine. Celui que l'on rencontre n'est pas Dieu en personne. En aimant l'autre, on ne perd pas sa propre personne. Tout au contraire, on la trouve. Mais l'amour n'est pas l'ultime réalité. À l'arrière-plan, c'est un autre absolu qui se révèle, et c'est à lui que l'homme doit l'aimé aussi bien que le monde en sa totalité. Cette différence entre la vision biblique et la vision grecque de l'amour est de la plus grande importance pour comprendre l'expression de Jésus.

Le transfert amoureux.

Il nous faut maintenant réfléchir sur l'« infantilisme » de l'Éros grec, sur le complexe qu'il constitue par nature. S'il est nécessairement tel, cela ne tient-il pas à un résidu de l'enfance ? Un amour de ce type, qui conduit à se diviniser soi-même et à diviniser l'autre, ne demeure-t-il pas au fond une forme de jeu propre à cet âge de dépendance ? Sur ce point encore, la contradiction entre la Bible et le mythe grec serait aussi manifeste ; quand la Bible parle de l'amour entre l'homme et la femme, elle tient à souligner qu'à cause de lui l'homme quittera son père et sa mère pour s'attacher à l'aimée (Gn 2, 24). Sans doute place-t-elle au premier plan le caractère extérieur, économique, de cette rupture du fils avec sa famille ; mais nul doute qu'elle ne tienne à signifier ainsi une rupture intérieure, de nature essentiellement psychique. Ceux que blessent les flèches du dieu Éros restent irrémédiablement des enfants qui se raccrochent désespérément les uns aux autres comme à leur père et à leur mère ; ceux que Yahvé, le Dieu biblique, conduit l'un à l'autre sont des adultes qui ont quitté leurs parents.

Ainsi la Bible semble-t-elle lier plusieurs choses : le fait d'avoir trouvé Dieu, celui de s'être détaché de ses parents, celui de se trouver soi-même et celui d'aimer un tiers et de chercher en lui ce qui nous manque intérieurement. Tel est l'enchaînement des quatre facteurs qu'il faut examiner si on veut comprendre tout ce qui sépare la vision biblique de la vision mythique — en particulier grecque — de l'amour.

L'amour de l'enfant pour ses parents.

Psychologiquement, il n'est d'amour qui ne commence par être amour des parents, donc amour de dépendance. Les parents sont les premiers capables de combler le vide ressenti par tout être qui vient au monde. C'est leur présence qui garantit à l'enfant la chaleur, la protection, la nourriture, la sécurité, l'accueil et la compréhension qui lui sont nécessaires, et quand on dit qu'il « dépend » d'eux dans son amour, on désigne par là une « dépendance » radicale[6]. C'est à leur contact qu'il découvre son environnement physique et psychique, et c'est par leur intermédiaire qu'il accède à ses premières représentations de soi-même et à ses premières attitudes. Dans la suite de sa vie, il tentera de vérifier la valeur de ces attitudes sur d'autres personnes, ce qui le conduira à les renforcer ou à en changer, selon que cela l'aura conduit au succès ou à l'échec ; mais toute relation à autrui se trouvera fondamentalement imprégnée par ces premières expériences faites auprès du père et de la mère. En un sens, on peut donc dire que, psychologiquement, l'amour adulte non seulement éloigne des parents, mais aussi reconduit à eux. D'une façon ou d'une autre, un tel amour adulte est dans la continuité d'un amour parental qu'il prolonge. Se pose alors la question de savoir dans quelle mesure c'est là chose valable, et c'est ici que se séparent les chemins, quantitativement comme qualitativement.

Les caractères du transfert
de l'amour parental.

Ce que le mythe grec vise, c'est avant tout la possibilité d'un amour qui ne constituerait qu'une variante du transfert, une reproduction d'une vision infantile des choses. Si l'amour n'est rien d'autre que ce qu'incarne le dieu Éros, le

6. L. SZONDI, *Triebpathologie*, t. I. Elemente der exakten Triebpsychologie und Triebpsychiatrie, Berne, 1952, p. 419-420 ; *SB*, II, p. 61.

moi amoureux ne diffère en rien d'une balle que se disputeraient les forces qui dominaient l'enfance, celles qui se fixaient en angoisse, amour et habitude. Rien ne lui apparaît digne d'amour ou de haine sans que n'intervienne implacablement quelque trace mnésique de l'enfance. La fascination que peut exercer une femme, ou, pour parler en termes plus usuels, son « étrangeté[7] », repose finalement sur la proximité qu'elle entretient avec l'image de la mère, image qui continue à agir. Un homme semble avoir une personnalité d'autant plus « séduisante » et « impressionnante » qu'elle reproduit en filigrane les traits du père. Il suffit manifestement de quelques traits infimes de ressemblance avec l'image inconsciente que l'on maintient de ses parents pour faire ressurgir avec toute leur vigueur les sentiments, les idées et les comportements que l'on avait eus envers ceux-ci des années plus tôt, au cours d'une enfance oubliée depuis longtemps. Pour ressusciter l'*imago* parentale, nul besoin de correspondances affirmées entre l'être aimé et les parents[8]. La liaison s'opère plutôt à la façon dont on peut remettre en route une cassette enregistrée vingt ans plus tôt : il suffit d'appuyer sur un bouton pour ramener un lointain passé au présent. Tout comme Freud, nous désignerons par « amour de transfert[9] » un tel amour, celui qui ne consiste qu'à transférer sur un partenaire les images que l'on a gardées des parents ; et nous devrons alors nous demander comment il naît et quelles conséquences morales, juridiques et théologiques nous devons en tirer.

Il importe en premier lieu de voir que le transfert amoureux ne porte pas sur l'aimé, mais que celui-ci n'est rien

7. S. FREUD, *L'Inquiétante Étrangeté* (1919), trad. E. Marty et M. Bonaparte, dans *Essais de psychanalyse appliquée*, Paris, Gallimard, 1933, coll. « Idées », p. 163-210.

8. La notion d'imago vient de C. G. JUNG, dans « Wandlungen und Symbole der Libido, Beiträge zur Entwicklungsgeschichte des Denkens » dans *Jahrbuch für psychoanalytische und psychopathologische Forschungen*, III, 1971, p. 164. Notion retravaillée dans *Symbole der Wandlung. Analyse des Vorspiels zu einer Schizophrenie* (1952). S. FREUD a lui-même recouru à cette expression dans *La Dynamique du transfert* (1912), trad. A. Berman, dans *La Technique psychanalytique*, Paris, PUF, 1953, p. 50-60.

9. S. FREUD, *Observations sur l'amour de transfert* (1915), *ibid.*, p. 116-130.

d'autre qu'un prétexte à la répétition[10] des positions enfantines. Sa force invincible, bienfaisante ou destructrice, tient uniquement au fait qu'il ne porte absolument pas sur l'être apparemment aimé, mais fait de celui-ci la surface réfléchissante du transfert infantile. Il provoque la régression de l'amoureux vers une forme infantile de dépendance et d'inquiétude. Il ne lui permet pas de voir l'autre tel qu'il est vraiment ; il ne le lui laisse entrevoir qu'à travers le voile des transferts qu'il interpose inconsciemment entre lui et le réel.

Du fait qu'il détourne ainsi de la réalité, le caractère infantile du transfert amoureux comporte un fort coefficient de narcissisme[11]. Dans la mesure où l'on doit comprendre l'amour d'un enfant pour ses parents comme le déplacement de l'instinct de conservation, de ce que Freud appelle le « narcissisme primaire[12] », le transfert amoureux implique un investissement fortement narcissique de l'« objet libidinal ». C'est ce qu'on peut déceler dans les blessures et les déceptions qu'éprouve l'amoureux dès que l'« aimé » ose visiblement s'écarter des attentes infantiles qui sous-tendent son amour ; il lui oppose alors instantanément reproches démesurés, accès de désespoir et chantages menaçants, et il ne retrouve la paix que quand il a réussi à faire rentrer l'« aimé » dans le corset du comportement attendu. En un sens, celui qui aime par transfert se montre incapable d'admettre activement l'autre : il ne fait que se retrouver lui-même ; et, s'il faut qualifier quelqu'un d'égoïste, ce n'est pas celui dont l'égoïsme n'est en réalité que cri de souffrance de quelqu'un qui souffre le plus souvent du fait que son moi, dans l'amour de transfert, est « coincé » et réduit parfois à l'impuissance sous la puissance de la compulsion de répétition. Son égocentrisme absolu ne tient pas à la volonté d'un moi qui voudrait s'imposer « égoïstement », mais au fatal rétrécissement d'un moi, dont on peut trouver une image pertinente dans la flèche empoisonnée du dieu enfantin de l'amour.

10. S. FREUD, *Remémoration, répétition et élaboration* (1914), *ibid.*, p. 105-115.

11. S. FREUD, *Pour introduire le narcissisme* (1914), trad. J. Laplanche, dans *La Vie sexuelle*, Paris, PUF, 1969, p. 81-105.

12. S. FREUD, *Pulsions et destins des pulsions* (1915), trad. J. Laplanche et J.-B. Pontalis, dans *Métapsychologie*, Paris, Gallimard, coll. « Idées », 1968, p. 11-44 (spéc. p. 37 et note de Freud).

« *Angoisse et contrainte* », *ou* « *l'erreur sur la personne* ».

Si l'on veut juger justement du transfert amoureux, que ce soit en droit canonique ou en théologie, on doit garder présentes en mémoire les définitions classiques du Code de droit canon concernant les conditions du mariage. Il déclare qu'on ne saurait contracter mariage dès lors que celui-ci reposerait sur « la peur ou la contrainte », ou sur une « erreur sur la personne ». En 1917, quand on intégrait ces axiomes dans le Code de droit canon, on pensait avant tout à des formes sociales de pression ou d'erreur. Un capitaine de pirates qui aurait enlevé une jeune fille et l'aurait forcée à l'épouser dans une église de village aurait fait preuve de violence et aurait par là même empêché la validité d'un véritable mariage[13]; quelqu'un qui aurait cru épouser une femme noble et n'aurait en fait épousé qu'une esclave ou une courtisane bien connue[14] aurait été induit en erreur et n'aurait pas vraiment contracté mariage valide, alors même que celui-ci aurait eu lieu solennellement devant un prêtre et deux témoins. Des circonstances de ce genre sont extérieurement constatables et ne posent donc aucun problème à l'Église, ni d'un point de vue moral, ni d'un point de vue juridique. Mais qu'en est-il lorsque contraintes, peurs ou erreurs sont intérieures, psychiques, comme c'est le cas dans le transfert amoureux ? Qu'en est-il de l'amour provoqué par les flèches du dieu Éros ? Le caractère enjoué du mythe grec peut conduire à ne tenir l'éros divin que comme la conséquence de l'effervescence de la joie de vivre. Mais une réflexion psychologique plus profonde, celle qui conduit à déceler le caractère de complexe du transfert amoureux, dont on peut justement penser que le mythe reflète l'expérience, montre bien qu'il n'est pas du tout l'effet d'une pure instinctivité, mais bien celui du diktat d'une angoisse infantile; donc d'une peur à laquelle le transfert amoureux ajoute une erreur sur la personne.

Dans la genèse d'un transfert amoureux, le facteur le plus actif, c'est l'angoisse. Avec l'âge, un enfant parvient à se libérer de la force des images parentales; mais cela à

13. *Codex juris canonici*, 1074, § 1.3.
14. *Ibid.*, 1083, § 2a, 1.2.

condition d'échapper à l'emprise de la peur — et du sentiment de culpabilité qui lui correspond, autrement dit à la peur de la punition — qui a pu le submerger au cours des premières années de son développement psychologique, donc au moment où il se trouvait contraint de *s'identifier* à des parents qui multipliaient prescriptions morales et exigences psychiques. Pour ne pas perdre ses parents, apparemment tout-puissants, et donc pour échapper à la pire forme de punition, l'angoisse de la perte[15], l'enfant s'est désespérément raccroché au modèle parental en en *introjectant* les figures au point d'être écrasé par elles[16]. On ne peut comprendre le souci ultérieur de l'adulte de retrouver dans l'aimé le *substitut* du père ou de la mère perdus que si on comprend de quelle angoissante mélancolie est saisi un enfant à l'idée de perdre toute valeur, de se trouver sans père ni mère, d'être donc réduit à rien[17]. Un mariage conclu dans ces conditions comporte donc toujours une terrible « erreur sur la personne », dans la mesure où l'autre ne répond jamais totalement, et le plus souvent même pas du tout, à la figure des parents qu'on regrette : l'amour de transfert repose précisément sur ce faux espoir de correspondance totale entre l'imago parentale et le conjoint.

Dans la mesure où la notion d'« erreur » signifie que quelqu'un admet subjectivement comme donné quelque chose qui ne correspond pas à la réalité objective, elle s'applique parfaitement à notre cas. Un observateur extérieur pourrait voir dans le transfert amoureux une sorte d'illusion volontaire, une façon de se tromper soi-même. Mais ce n'est pas du tout le cas : la personne ne perçoit absolument pas la déformation que les processus de transfert amoureux font subir à la réalité ; elle reste totalement inconsciente de ce que la fascination magique exercée sur elle par un tiers n'émane pas de celui-ci, mais des figures parentales. On peut donc alors vraiment dire que son inconscient l'induit en erreur et que, à moins d'un discernement analytique, il se trouve livré

15. S. FREUD, *Deuil et mélancolie* (1916), dans *Métapsychologie*, p. 147-174.

16. L'expression vient de S. FERENCZI, *Transfert et introjection* (1909), trad. J. Dupont et P. Garnier dans *Œuvres complètes*, t. I, p. 93-125.

17. S. FREUD, *Deuil et mélancolie* (1916), *ibid.*

à cette erreur à la façon dont les hommes du mythe grec l'étaient au dieu Éros.

Exemples de l'amour de transfert.

Une personne bienveillante sera peut-être tentée de mettre en doute le caractère fatal et forcé de l'amour de transfert : un tel transfert de l'amour du père ou de la mère, avec toute l'absence de liberté qu'il comporte, est-il vraiment possible ? Mais il faut bien finalement admettre que cette notion n'a rien d'une pure hypothèse spéculative : elle ne fait qu'expliquer des faits.

Qui n'a pas un jour ou l'autre fait l'expérience d'une femme de son entourage qui, contre toute raison, se donne au séducteur bien connu et envoie tout promener du jour au lendemain, à la grande surprise de tous ceux qui la connaissent, se lançant ainsi dans une aventure absolument sans issue, dangereuse, et finalement fort peu attrayante ? En tournant l'*Histoire d'Adèle H.* [18], François Truffaut a bien mis en valeur l'espèce de magie, l'étrange hypnotisme, le délabrement intérieur qui ont conduit la fille du célèbre Victor Hugo, personne fort belle, très douée et extrêmement sensible, à se précipiter comme une folle, en dépit de toutes les rebuffades, des froideurs et des déceptions, dans la folie de son premier amour pour un snob insignifiant et indigne d'elle, auquel elle gardera toujours une fidélité qui n'est pas payée de retour. À aucun moment de son film Truffaut ne propose quelque explication que ce soit à la passion effrénée d'Adèle. Mais il est parfaitement clair que la malheureuse fille de Hugo, sans jamais tenir aucun compte de la réalité, admire et porte aux nues comme elle le faisait de son père l'homme pour lequel elle gâche sa vie. Et il est vraiment tragique de voir qu'un homme comme Victor Hugo, si sensible, si humain, si bon, soit capable de tout comprendre, sauf sa propre contribution, due à son éminente personnalité, à la faillite de sa fille bien-aimée. La littérature ne cesse de multiplier de tels exemples de transfert amoureux : qu'on songe par exemple à la nouvelle de Stephan Zweig *Vingt-*

18. François TRUFFAUT, *L'Histoire d'Adèle H.*, France, 1975, avec Isabelle Adjani dans le rôle-titre.

quatre heures de la vie d'une femme, où il décrit l'irrésistible irruption d'une connaissance d'hôtel dans la vie jusque-là apparemment si bien ordonnée et si morale d'une femme[19]. Freud a commenté cet exemple sous forme d'aphorisme, et en soulignant surtout le caractère insignifiant de l'occasion du transfert[20].

Le transfert amoureux, un risque nécessaire : réflexion à partir d'un conte.

Celui qui admet l'existence de tels cas de transfert amoureux doit immédiatement faire un pas de plus, comme nous le montrerons : il doit admettre que certains mariages ont consisté à unir, non pas un homme et une femme, mais l'un des deux époux avec son imago parentale. Il doit surtout reconnaître que, au moment de la célébration de ce mariage, personne n'était en état de déceler ce qu'il en était : ni les époux, puisqu'ils étaient totalement inconscients de ce transfert, ni les témoins, et encore moins le prêtre, car aucun de ceux-ci ne connaissait vraiment bien l'état psychique des époux. Et, pour porter à son comble la confusion morale et théologique, même si le prêtre ou les témoins sont suffisamment formés en matière de psychanalyse et informés du cas, ils doivent normalement ratifier la volonté affirmée des époux et attendre de voir ce qui se passe. Ils n'auraient de raison justifiée d'intervenir qu'en cas de certitude du caractère inéluctable de l'échec de cette union, ce qui ne saurait jamais être. Car l'amour de transfert *peut* tenir toute la vie, quand par exemple les époux continuent à vivre sans modification des conditions dans lesquelles ils se sont mariés, ou quand une évolution *commune* leur permet de substituer une forme de relation nouvelle et plus mûre à celle qui se fondait sur le transfert ; mais pour en arriver à tirer au clair ce

19. Stefan ZWEIG, *Vingt-quatre heures de la vie d'une femme*, Paris, Stock, 1984.

20. S. FREUD, *Dostoïevski et le parricide* (1928), trad. J.-B. Pontalis, dans *Résultats, idées, problèmes*, Paris, PUF, 1985, t. II, p. 161-179. Pour Freud, les mains jouent un rôle primordial, car elles évoquent des fantasmes onanistes et créent une similitude entre la mère et la prostituée.

qu'il en était au départ, il leur faudra surmonter bien des souffrances, et une singulière perspicacité, choses qui font précisément défaut au moment de la célébration du mariage. En fait, une telle réussite reste extrêmement incertaine : c'est toujours un coup de chance. Juridiquement, on ne saurait jamais la présupposer, et encore moins en faire *a priori* une obligation morale pour les époux. C'est ce que nous permettra de mieux comprendre un exemple littéraire.

En racontant la vieille histoire de *La Jeune Fille sans mains*, les frères Grimm ont décrit de façon incomparable les différents stades de l'inéluctable faillite d'un amour de transfert suivie de son imprévisible et merveilleuse réussite finale[21].

La Jeune Fille sans mains est l'histoire symbolique d'une femme à laquelle, enfant, on a coupé les mains pour éviter que son père ne tombe aux mains du diable. Autrement dit, psychanalytiquement parlant, on n'avait cessé de la réprimer lors du stade oral-captatif de son développement[22]. Son problème était donc de trouver un moyen de pouvoir vivre ses désirs en échappant à la prison constituée par ses sentiments de crainte et de culpabilité. La fille sans mains, rapporte le conte, vit une sorte d'histoire de péché originel inversé, en mangeant trois jours de suite sous la protection d'un ange les poires d'un arbre du jardin du roi, jusqu'au moment où le roi, aidé de son jardinier et d'un prêtre, réussit à la surprendre. Frappé par sa beauté et sa piété, le roi la prend à sa cour, l'élit pour épouse et lui fait faire des *mains d'argent*. Ce « roi » du conte constitue sans aucun doute l'exacte antithèse du père ; d'emblée, il sait faire renaître en son épouse toutes les attentes et tous les espoirs dont on l'avait si durement frustrée pendant son enfance, et, sans s'en apercevoir, il se laisse entraîner à un comportement totalement opposé

21. Voir J. et W. GRIMM, *La Jeune Fille sans mains*, trad. H. Robert, dans *Contes*, Paris, Gallimard, coll. « Folio », 1976, p. 121-129. Dans les mythes de la nature, la « fille sans mains » est clairement un personnage lunaire apparenté au garçon Anios (le royaume de la souffrance) de la mythologie grecque. Voir H. USENER : Die Sintflutsagen, Bonn, 1899, p. 97 ; *SB*, II, 2e éd., 1980, p. 361. Pour l'interprétation de ce conte, voir DREWERMANN — I. NEUHAUS, *Das Mädchen ohne Hände*, Éd. Olten, Fribourg, 1981.

22. H. SCHULTZ-HENCKE, *Lehrbuch der analytischen Psychotherapie*, Stuttgart, 1951 ; 2e éd., 1957, p. 58-59.

à celui que la jeune fille avait été habituée à attendre de son père. En particulier, à travers l'image des mains d'argent, l'époux-roi, ou plutôt père, répond artificiellement à tous les refoulements oraux de celle-ci. Cependant, en dépit de toute sa bonne volonté et de ses efforts, les mains d'argent n'en demeurent pas moins des prothèses ; autrement dit, la jeune femme ne réussit jamais à se débarrasser de ses sentiments d'angoisse et de culpabilité pour se ressaisir. Tout au contraire, elle *transfère* sur son époux, non seulement ses espoirs, mais aussi les peurs qu'elle avait éprouvées devant son père. Avec les années, nous dit le conte, sa relation au roi finit par en être totalement perturbée : elle est poursuivie d'idées épouvantables, et même finalement meurtrières ; car le « diable », autrement dit la face négative de l'imago paternelle, ne cesse d'inverser les déclarations les plus chaleureuses et les mieux intentionnées. La jeune fille ne dit jamais que le contraire de ce qu'elle veut dire, et ne comprend que le contraire de ce que l'autre veut lui dire. Ce qui devrait être source de joie devient occasion de terreur, et un message d'amour finit à la lettre par lui apparaître comme un ordre de se tuer. L'amour de son époux ne réussit qu'à faire ressurgir l'angoisse ressentie devant le père, et cela au point d'en devenir insupportable ; ainsi son mari, pourtant si désireux de l'encourager et de la soutenir, semble par là même lui interdire tout jugement et tout avis personnel — ce qui se produit, dans le langage du conte, un jour où elle croit comprendre que le « roi » exige qu'on lui coupe la langue et qu'on lui arrache les yeux. Ce n'est qu'après avoir rompu tout contact avec lui pendant sept ans et s'être réfugiée pendant tout ce temps avec son enfant dans une maison sur laquelle est inscrit « ici, tout le monde vit libre » qu'elle retrouve l'usage de ses mains et que les deux époux, comme le souligne le conte, recommencent à nouveau leur mariage.

Ce qu'il y a de particulièrement pertinent dans ce conte exemplaire, c'est la façon dont il décrit la totale inconscience avec laquelle la jeune fille succombe aux pièges du transfert. Elle voit dans son mariage une véritable entrée au paradis, et elle *ne peut pas savoir* que cette impression paradisiaque n'est que l'envers de tous les sentiments d'angoisse, de culpabilité, d'insupportable folie meurtrière qui suivront, donc qu'elle ne fait que *répéter*, en l'inversant, sa relation à son père. Quelle n'est pas en particulier la clairvoyance du conteur, lorsqu'il montre que le « mariage » avec le « roi » n'est pas encore en soi vraiment mariage, mais seulement un état intermédiaire qui permet la maturation psychique de la jeune fille ; ce qui permet de dire que la relation au « roi » était indispensable à la jeune fille pour qu'elle puisse « retravailler » intérieurement l'image malheureuse de son père. En cela, son « mariage » constituait bien une tragique *erreur sur la personne* d'un partenaire qu'elle finissait de plus en plus par confondre avec son père ; mais il n'en était pas pour autant erreur sur le chemin de la jeune fille. Car, c'est cette relation au « roi », quelque malheureuse qu'elle ait pu paraître et en dépit de son échec initial, qui lui fait découvrir qu'elle peut et doit vivre pour elle-même.

Il faut simplement noter que, compte tenu du cours normal des choses, la conclusion de ce récit constitue un coup de chance inouï : à la fin, en dépit de tous les obstacles et de toutes les contradictions, le roi retrouve sa bien-aimée, désormais totalement guérie. Habituellement, le partenaire d'un transfert amoureux n'est que le pont (à souhaiter qu'il reste le seul nécessaire) conduisant à une relation dans laquelle il n'est plus besoin de transférer sur le nouvel élu les angoisses et les sentiments de culpabilité hérités de l'enfance, mais qui permet de percevoir et d'accepter l'autre dans sa réalité.

Les formes de l'amour de transfert.

Le transfert amoureux par opposition.

Ce bref exemple, emprunté à un conte, illustre le cas, si fréquent, de ces mariages qu'on célèbre dans la joie et l'euphorie, en se félicitant du bonheur des mariés, et où personne, pas même les premiers concernés, ne se doute le moins du monde que le germe de l'échec est déjà là, d'un échec qui est peut-être la condition indispensable d'un développement ultérieur permettant de s'engager vraiment dans une union durable avec une autre personne. Ce conte enseigne en outre que l'amour de transfert peut prendre une forme très compliquée et que sa dissolution peut survenir, non en ligne directe, mais dans certains cas par « bonds », par « à-coups ». L'amour que la jeune fille porte à son époux royal ne lui permet absolument pas de reconnaître en celui-ci la personne de son père ; il repose au contraire sur le sentiment que son mari est totalement différent de celui-ci. Il n'offre pas directement l'imago paternelle elle-même, mais son reflet antithétique, autrement dit compensateur. Cette figure illusoire, née sous la pression des angoisses et des sentiments de culpabilité liés à l'imago paternelle négative, se projette maintenant en s'inversant sur l'époux. Plus grande encore est alors la difficulté de la jeune fille à remarquer que son entrée dans le jardin royal paradisiaque n'est que le contrepoint de tous ses rêves enfantins, et qu'elle ne peut donc que susciter de nouveau toutes les insupportables angoisses de son passé. Pour sa part, l'époux royal est bien loin de soupçonner que son amour sans limite et son désir de venir en aide à celle qu'il aime viendra nécessairement ressusciter les peurs anciennes, et qu'au lieu de trouver la réponse attendue à son sentiment, il ne connaîtra qu'une chaîne de méfiance et de malentendus. Quelque effort qu'on fasse, et quelque parfaites que puissent paraître extérieurement ses conditions, le transfert amoureux comporte toujours ce caractère de déterminisme désespérant que lui prête le conte de *La Jeune Fille sans mains*.

Il n'est de peuple, chez lequel on ne retrouve de récits similaires décrivant toute la gamme des variations de l'amour de transfert et de ses difficultés. Les contes des *Mille et Une Nuits*, par exemple, en comportent plusieurs[23], où un esprit mauvais, donc une fois de plus l'imago parentale, fait disparaître l'aimé au cours de la nuit de noces, et ces récits doivent toujours recourir à nombre de péripéties avant que les deux partenaires destinés l'un à l'autre puissent vraiment se retrouver. Celui qui a compris les particularités et les confusions de l'amour de transfert ne peut que reconnaître la justesse des expériences sous-jacentes à ces récits. Psychologiquement parlant, on ne saurait jamais dire avec certitude si un mariage réussira ou non ; pour mûrir et se déployer pleinement, un amour de transfert exige un long chemine-

23. Par exemple l'histoire de la quarante-septième nuit du second calendrier ; ou encore celle que raconte Shéhérazade la cinq cent quarante et unième nuit : comment Aladin, sur le conseil de sa mère, recourt à sa lampe merveilleuse et fait appel à un esprit pour enlever au cours de sa nuit de noces le fils du grand vizir, son concurrent dans l'amour de la princesse Badruldudur. Les *Mille et Une Nuits*, trad. A. Galland, Paris, Garnier-Flammarion, 1965, t. I, p. 159-161.

ment, et la meilleure volonté du monde ne saurait jamais en garantir la réussite.

Sa simple existence change complètement la façon habituelle de considérer l'amour et le mariage, en droit comme en morale. Quand c'est à un tel amour qu'on a affaire, on ne peut éviter de reconnaître à l'amoureux le droit à l'essai, mais aussi la possibilité d'échouer. Il faut nécessairement admettre le caractère limité de sa faculté de jugement et, en conséquence, le caractère fictif de tous les critères et des dispositions juridiques par lesquelles on entend s'assurer de la validité du mariage. En d'autres termes, cela veut dire qu'on doit admettre le caractère énigmatique, imprévisible et anarchique de l'amour, sa force « divine » au sens du mythe grec. Il est avant tout indispensable de tenir compte de la présence en tout amour d'un certain transfert impossible à mesurer en terme de degré, et donc d'admettre la nécessité de l'approche, de l'apprentissage, avec ce que cela comporte de réussite ou d'échec ; le chemin de l'amour peut être long et, même lorsque le mariage, apparemment, a bien été conclu, il ne débouche souvent au départ que sur un *no man's land* où chacun doit pouvoir apprendre à habiter « libre » jusqu'à ce qu'il se trouve — peut-être — rendu à lui-même, comme dans le conte de *La Jeune Fille sans mains*.

Les « racines aériennes » de l'amour de transfert — Ou « Au secours du commandant Scobie ».

Il serait cependant trop simple de réduire l'amour de transfert à une projection d'image parentale, qu'elle soit positive ou négative. Sans doute nos exemples précédents se limitaient-ils à des cas de ce genre. Mais il n'est de complexe psychique qui, à la manière des « racines aériennes[24] », n'engendre une vraie ramure de formations réactionnelles et de ramifications. En amour, le transfert peut avoir des conséquences infiniment plus graves que ne l'aurait la simple projection directe de l'image parentale, avec tous les espoirs et toutes les désillusions, les attentes et les malentendus qu'elle provoque. Comment méconnaître ces « racines

24. H. SCHULTZ-HENCKE, p. 152.

aériennes », même si la façon dont elles s'ancrent dans le transfert reste encore fort hypothétique ?

Le personnage du commandant Scobie, dans le roman de Graham Greene, *Le Fond du problème*[25], offre un exemple célèbre des *conséquences* de l'amour de transfert. La relation de Scobie aux autres, telle que la dépeint Greene, n'est pas faite d'amour, mais de pitié. Il n'a pour unique objectif que de rendre sa femme heureuse. Mais, les années passant, il doit de plus en plus constater que la vie commune n'est que la poursuite rituelle de gestes de tendresse profondément mensongers venant couvrir une haine accumulée qu'il ne peut contenir qu'au prix d'efforts surhumains. Il acquiert de plus en plus la certitude d'un échec total sur le seul point de sa vie dont il s'était fait un devoir : au cours de son existence, rendre au moins quelqu'un heureux.

En analysant les choses, on découvre une fois de plus que le rôle de Scobie comme époux comporte nettement des traits paternels : il est, lui seul, responsable du bonheur de sa femme. Idée à elle seule fatale ! Car voici que, à la suite d'un naufrage, on lui confie le soin d'une jeune fille perdue et désespérée, n'ayant plus pour tout bagage qu'un album de timbres. Sa femme se trouve à ce moment-là en vacances. La jeune fille suscite son attention et sa pitié. Scobie découvre finalement que sa compassion et son sentiment de responsabilité l'obligent en fin de compte à choisir entre deux femmes et que, quelle que soit la façon dont il tranchera, il ne pourra que commettre un acte irresponsable, générateur de souffrance. Incapable de croire au pardon, il finit par se donner la mort. Et même son dernier effort pour cacher son suicide à sa femme échoue. En définitive, il a eu raison de penser que sa disparition était la meilleure façon de donner aux autres un peu du bonheur qu'il était parfaitement incapable de leur offrir alors qu'il était en vie.

Graham Greene ne donne pour ainsi dire aucun renseignement biographique sur le personnage de son roman. Il décrit cependant une scène qui fait voir ce que cherche Scobie, en ne se figurant l'amour que comme effort désespéré de sollicitude paternelle. Après le naufrage, celui-ci voit un enfant de six ans mourir à côté de lui, et il supplie en vain Dieu de le

25. Graham GREENE, *Le Fond du problème*, trad. M. Sibon, Paris, Robert Laffont, coll. « Pavillons », 1975 ; rééd. coll. « Bouquins », 1981.

sauver. Alors qu'il est en train de chercher à rassurer l'enfant mourant, « un souvenir qu'il avait longtemps pris grand soin d'ensevelir lui revint et, tirant son mouchoir de sa poche, il fit tomber sur l'oreiller, près de la figure de l'enfant, l'ombre d'une tête de lapin. "Voici ton lapin, dit-il, pour t'aider à t'endormir. Il va rester jusqu'à ce que tu dormes. Dodo." Mais l'enfant est mort[26] ». C'est un « souvenir » qui repose sûrement sur une profonde identification de Scobie avec le petit mourant, et on a vraiment l'impression qu'il veut donner à celui-ci ce qu'il a lui-même reçu de son père, ou ce qu'il aurait voulu recevoir. Si bien que, dans cette scène, il ne s'identifie pas seulement à l'enfant, mais aussi à son père. C'est alors qu'on découvre en pleine lumière le motif secret de sa pitié pour les autres. Sa compassion, son sens de la responsabilité reposent sur le sentiment de se trouver à la place d'un enfant perdu et d'avoir à lui donner par substitution ce que son propre père aurait jadis dû lui donner à lui-même (c'est-à-dire lui a donné). Il doit sans cesse jouer le rôle du père qui, pleinement conscient de sa responsabilité, vient constamment à l'aide, parce qu'au fond de lui-même se cache le petit enfant perdu qu'il retrouve dans le besoin de tous ces autres au secours desquels il se porte à la place de son père.

Ainsi l'amour de transfert peut-il aussi être structuré de telle façon que l'imago parentale n'est pas projetée sur un tiers, mais qu'il est élevé en tant qu'idéal du moi, par nostalgie et obligation, au rang de condition et d'exigence du comportement propre de l'individu. C'est désormais dans l'autre que cette personne retrouve son propre désarroi, sa dépendance et son besoin d'amour, ce qui engendre tout naturellement un sentiment d'exigence sans issue : le moi ne peut en effet satisfaire son propre besoin qu'en substituant l'autre à soi-même, ce qui le laisse toujours aussi vide. À la fin, l'expérience de Scobie le conduit irrémédiablement à penser que sa continuelle attention aux autres et sa façon de les prendre en charge ne font que détruire l'amour à la racine, cela en dépit de, ou à cause de la démesure de son engagement et de sa bonne volonté.

26. Graham GREENE, p. 366.

*La projection de l'*anima.

Toujours en relation avec le problème de l'amour de transfert, nous devons maintenant étudier cette sorte de déformation dérivée sur le partenaire, que l'on appelle la projection de l'*anima*. Par « anima », dans la psychologie complexe de C. G. Jung, il faut comprendre la réplique inconsciente à la *persona*, autrement dit ce masque qui permet à la personne de s'adapter psychiquement aux rôles qu'elle doit remplir quotidiennement, de par sa situation sociale, culturelle, religieuse ou professionnelle[27].

La littérature universelle offre un exemple classique de transfert d'anima en la personne du docteur Faust, cet éminent savant que tout le monde admire pour son ardeur au travail, mais qui se trouve tout d'un coup plongé dans un désarroi tragique parce qu'il est tombé amoureux d'une femme toute simple et toute naturelle. Contes et mythes décrivent volontiers cette femme comme une belle princesse qu'un enchantement a transformé en avorton, en laideron, et qui se trouve désormais reléguée dans une cachette écartée, sous la garde d'animaux sauvages, en attendant sa délivrance[28]. Ce personnage de princesse ensorcelée, qui est très souvent en possession d'un talisman extrêmement précieux (la boule de cristal, mandala symbolique du soi, ou l'eau de Jouvence, celle qui régénère l'inconscient), est presque toujours l'image de l'anima. Elle incarne donc toutes les aspirations, les facultés et les potentialités supérieures de la psyché dont est bien dotée en soi une personne donnée, mais que la nécessité de s'adapter à la vie quotidienne a empêché de s'épanouir, et qui sont restées enfouies dans l'inconscient. Cette anima ne fait donc que traduire toutes les tendances et toutes les idées insatisfaites, demeurées à l'état informe, indifférencié, primitif, parce qu'il aurait été aventureux de se laisser aller à elles. Mais voilà que l'aventure apparaît soudain nécessité inévitable, à la façon d'un devoir sacré qui s'impose. Comme magiquement séduite, ou soumise par le

27. C. G. JUNG, *Dialectique du moi et de l'inconscient* (1928), trad. R. Cahen, Paris, Gallimard, coll. « Idées », 1964, spéc. p. 152 et 186, note. *SB*, II, p. 80.

28. Voir J. et W. GRIMM, *Contes*, livre II : *L'Eau de Jouvence* et *La Boule de cristal*, successivement p. 257 s. et 370 s.

diable, ou caressée par le dieu Éros, la personne se trouve irrémédiablement enchaînée par l'amour de son anima. Il est facile de déceler que cette scission de l'anima n'est rien d'autre que l'amplification et la continuation de transferts fondamentaux. Par exemple une personne comme la princesse de la Lune, Mut-em-enet, dans le roman de Thomas Mann, *Joseph et ses frères*, a vécu toute sa vie dans l'univers que lui avait assigné la tradition. L'étroitesse même de sa vision de l'existence lui vaut de se trouver soudain littéralement saisie par la force divine, en la personne de Joseph, au point que toutes ses pensées et ses actions ne tournent plus désormais qu'autour des moyens de séduire celui-ci[29].

De même, on rencontre de ces gens qui ont mené toute leur vie une existence ordonnée, ont fait preuve de fidélité parfaite, tant dans leur mariage que dans leur profession, ont accompli à la perfection leur devoir, n'ont jamais donné lieu à aucun blâme, dont personne par conséquent n'aurait pu penser, si peu que ce soit, qu'ils cachaient une quelconque fragilité et une faiblesse, alors que c'était pourtant le cas. Du jour au lendemain, on assiste à un bouleversement total. Cette transformation peut être tout à fait fortuite, reposer sur un fait insignifiant, la simple entrée en relation avec une personne, en avion ou à l'occasion d'un congrès. Mais cette personne de rencontre devient soudain tout, et elle détermine d'un seul coup toute la vie, comme une étoile parue au firmament venant troubler la gravitation existante.

Si l'on examine de plus près les causes de cet accès, on constate très régulièrement que l'intéressé était jusque-là resté dans le cercle restreint de ses parents, autrement dit dans le monde figé de son surmoi. Il se comportait à l'égard de son épouse de la façon fixée par la société ou l'Église ; c'est-à-dire qu'il transposait tout naturellement sur elle les attentes dont on lui avait fait un devoir, sans jamais les avoir remises en question et sans pouvoir remarquer le manque de vigueur et la superficialité d'un amour fondé avant tout sur l'intelligence et la volonté. Ce n'est qu'à l'occasion de la rencontre d'une femme totalement différente, parente de son anima, que tout l'arrière-plan de sa vie cachée fait soudain

29. Thomas MANN, *Joseph et ses frères*, Paris, Gallimard, coll. « L'Imaginaire », 1980. Sur l'interprétation de l'histoire de Mum-em-enet, voir *SB*, III, p. 317-323.

irruption[30], au point que l'entourage entier crie à la folie, tant cet engouement pour l'anima semble impossible, absurde, immoral, contraire à tout devoir et parfaitement ruineux.

Cette impression ne fait souvent que se renforcer par suite du peu de valeur objective de l'anima aimée : c'est une personne en situation instable, parfois une dévergondée ou une alcoolique, une prostituée, ou simplement une personne de basse extraction, avec laquelle on est absolument pas assorti, ni par l'âge ni par l'éducation. Or, étrangement, c'est justement ce que l'homme raisonnable trouve repoussant qui séduit l'amoureux et le fait entrer en transe devant l'anima[31]. Comme dans les contes, il faut *délivrer* et *sauver* l'aimée, et c'est bien pourquoi c'est son désarroi et son besoin d'aide qui constituent très souvent la condition indispensable de l'amour dans le transfert opéré par l'anima. En réalité, il ne s'agit, bien sûr, qu'indirectement du salut de l'autre. La tentative de sauvetage porte en premier lieu sur sa propre âme. Dans la mesure où la personne choisie est de valeur moindre (si toutefois on peut ici parler de choix), elle rend possible et elle permet d'expérimenter à travers elle les tendances angoissantes que l'on a dévalorisées en soi-même en les transférant sous une figure moins déformée.

Les mythes et les contes populaires ont parfaitement raison quand ils pensent qu'on peut vraiment comparer la confrontation avec les énergies que libèrent tout d'un coup l'amour de l'anima avec le combat mené pour dompter, pour tuer ou pour se concilier les rapaces de garde à l'entrée du palais de l'anima, de la vierge enchantée. Car, dans ce cas, l'amour de l'anima constitue un acte d'audace dont l'issue est toujours incertaine. Il offre la chance de permettre un

30. L. Szondi a très justement comparé cet arrière-plan avec une « scène tournante » où un *Hintergänger* attend de faire son entrée, et il l'a illustré par la scène de Caïn et d'Abel. Voir L. SZONDI, *Lehrbuch der experimentellen Triebdiagnostik*, t. I, Berne-Stuttgart, 1960, p. 119-120; *SB*, II, p. 259.

31. C. G. Jung compare cette identification avec l'anima à une sorte de mort et il l'appelle *opus contra naturam*. On peut sans doute ne faire que se confronter à cette anima, si on évite de s'identifier à elle. Mais il ajoute : « cette non-identification exige un effort moral considérable. En outre, elle n'est légitime que si on ne l'utilise pas comme prétexte pour éluder le degré nécessaire de confrontation personnelle. » (C. G. JUNG, *La Psychologie du transfert* (1946), trad. E. Perrot, Paris, Albin Michel, 1980, p. 125-126).

travail d'intégration des aspirations inconscientes de la psyché, et par là d'élargir celle-ci en la libérant. Mais il n'y a pas moins de probabilité de voir la personne s'effondrer sous la pression des énergies jusqu'alors inconnues et soudain libérées, et donc échouer sans recours. Naturellement, cette finale n'affecte pas moins douloureusement l'entourage, parents et connaissances, que tout le scénario qui y conduisait, de sorte que le héros de cet amour de l'anima court en même temps le risque de la solitude totale.

Jusqu'ici, le transfert amoureux n'apparaît que sous forme d'un destin tragique, et ce n'est effectivement que trop souvent le cas. Cela pose naturellement avec plus d'insistance la question de voir comment il est possible de travailler sur les mécanismes de transfert, et surtout de savoir, concernant ce phénomène, quelle attitude on adopte, ou l'on doit adopter, d'un point de vue chrétien, moral ou canonique.

Conséquences théologiques du donné psychanalytique

Jusqu'à présent, en matière d'éthique conjugale, l'Église catholique a défendu le point de vue selon lequel le mariage était indissoluble *en tant que sacrement*. On a souvent discuté cette doctrine, mais, curieusement, on ne s'est jusqu'à présent que fort peu inquiété de ce que les conditions psychiques d'une réussite durable du mariage ne se trouvent que dans la foi en Dieu. Tout au contraire : on fait officiellement comme si obligation juridique et bonne éducation morale étaient les seules garanties possibles de la tenue de la promesse de « fidélité ». Vision des choses beaucoup trop abstraite, et qui en devient inhumaine à force de court-circuiter lâchement les vrais problèmes : elle oblige aussi bien conseillers conjugaux qu'époux à chanter une bien triste chanson qu'on s'est jusqu'à présent refusé d'entendre, même au synode de Würgburg[1], où on a renforcé l'absurde opposition entre la miséricorde de la pratique et la vérité de la théologie ; moyennant quoi, on n'a fait qu'illustrer le caractère schizophrénique d'une perspective ecclésiastique totalement coupée de la vie. On a en toute sérénité eu le front de se donner bonne conscience en recourant à un dédoublement de pensée permettant, dit-on, une formule de compromis bien pesée à dépêcher à Rome, mais qui n'est en réalité qu'un scandale permanent. En vérité, l'Église catholique restera manifestement incapable de tirer au clair et de définir sa pensée tant que, sur cette question de l'amour et du mariage, elle n'aura pas accepté la confrontation de ses disciplines essentielles, théologie dogmatique, morale (y compris son droit canonique) et exégèse, avec la psychanalyse, et tant qu'elle limitera obstinément sa psychologie pastorale à la

1. Synode de l'Église allemande, tenu en 1975 (NdT).

considération de quelques névroses caractérisées ou à quelques cas d'impuissance. Il nous faut ici récapituler ce que nous avons déjà dit.

Si la psychanalyse montre bien que nombre des motivations du mariage, parce qu'elles sont trop enfouies dans l'inconscient, échappent totalement à la maîtrise de l'intelligence et de la volonté, l'Église se trouve contrainte à une extraordinaire révision de sa position en la matière. La mythologie antique savait déjà que l'amour est un dieu capable, selon son humeur, de changer d'un seul coup un adulte en enfant ridicule, ou plutôt en enfant tragiquement perdu. Psychologiquement, le principal problème du choix d'un partenaire consiste en effet en ce que, en l'autre, on ne fait que chercher, aimer ou haïr son propre père ou sa propre mère, et qu'on transpose sur cet autre des souvenirs qui rendent presque invisible sa véritable personnalité. Ce transfert des images parentales reste inconscient. Les personnes concernées ignorent absolument que leur relation réciproque est celle qui les liait, enfants, à leurs parents. Elles savent encore moins qu'elles commettent une *erreur* sur la personne de l'autre, et que ce qui les attache, ce n'est pas un amour adulte, mais des liens d'angoisse et de dépendance infantile. À un moment donné de leur vie, celui qu'elles imaginent parfois comme le moment du plus grand bonheur, elles ne soupçonnent absolument pas qu'elles sont en vérité totalement enchaînées et qu'elles préparent ainsi une tragédie.

En cela, le transfert des imagos parentales sur un partenaire constitue un véritable filet, non seulement fort solide, mais aussi extraordinairement compliqué, parce qu'il est tissé de toutes les réactions et de toutes les compensations, dont la plus importante est celle que nous avons désignée comme l'amour de l'anima. Celui-ci touche presque toujours des gens socialement et professionnellement remarquables, parfois même des ecclésiastiques, en général des gens suradaptés (ou appelés à l'être), habitués à entendre les autres les féliciter, et donc totalement inconscients du fait qu'ils portent au plus profond de leur âme une personnalité inverse de leur personnalité consciente, prête à fondre sur eux dans certaines occasions et à s'emparer sans recours de leur moi. Ce n'est pas du tout chez les médiocres, mais bien chez les personnes les plus éminentes qu'on voit se répéter l'histoire légendaire d'un Tristan, le fidèle serviteur de son oncle Marc de Tintagel, qui *doit* aimer le belle Iseult, parce que, *sans le savoir* (!), il a bu le philtre d'amour de Brangien ; et c'est le plus célèbre chevalier de la table ronde du roi Artus, l'incomparable Lancelot du lac, qui, d'un seul regard, tombe amoureux de l'épouse de son roi, la belle et noble Guenièvre, au point de trahir *contre sa volonté* le Graal et de détruire un talisman sans pouvoir pour autant se débarrasser de son amour. S'agit-il là de simples exagérations poétiques ? Si on se fie à la doctrine de l'Église, on pourrait presque le croire. Mais le poète ne fait que condenser une vérité vécue infiniment plus riche de mystère, de bonheur ou de tragédie que celle qu'incarnent Othello, Roméo ou Petruccio.

Cependant, il faut bien le reconnaître : même l'amour le plus mystérieux a besoin d'ordre et de raison. Cela soulève le problème de savoir quelle place attribuer à la doctrine de l'Église concernant le point de vue divin sur l'anarchie de l'amour.

Conséquences de l'amour de transfert.

L'incertitude globale de toute évaluation.

En premier lieu, le phénomène de l'amour de l'anima, qu'il prenne un caractère heureux ou tragique, conduit toujours à se demander s'il est possible, et dans quelles conditions, de porter une *évaluation* ou un *jugement* en matière d'amour. L'impression d'effroi que laisse l'amour de l'anima tient avant tout à la façon dont il déstabilise sans merci des personnes que l'on avait jusqu'alors toutes les raisons d'apprécier et de tenir pour intègres, celles-là mêmes que l'on aurait précisément crues incapables de s'éprendre, corps et âme, d'un tiers, au point de n'être plus que des marionnettes débitant les tirades toute faites que leur soufflent les mécanismes de transfert : extraordinaire exigence, qui remet en question ce que peuvent être une capacité « normale » de jugement et une raison humaine « saine ». Le fait même du transfert, ses conséquences, et la rigidité de son déterminisme ne peuvent que provoquer le désarroi, non seulement de celui qui le vit, mais aussi de celui qui prétend en juger. S'il y a quelque chose qui marque la limite du moi, c'est bien le caractère *inconscient* de ce qui se passe. La limite qu'on doit bien reconnaître au rayon d'action de l'intelligence et de la volonté et l'impossibilité de faire fond sur ces deux facultés ébranlent la confiance et la sécurité *morale* qu'on croyait assurées par l'engagement conjugal. Et il ne sert alors à rien de venir objecter que le transfert amoureux, étant donné son caractère purement infantile, névrotique, anormal, échapperait *a priori* à toutes les règles. S'accroche-t-on à l'idée de névrose ? Il faut quand même bien se demander quel est le sens d'une norme, par exemple celle de l'indissolubilité du mariage, s'il existe des cas particuliers pour lesquels on ne dispose plus d'aucun critère assuré capable d'en déterminer clairement l'application. Bien plus : à quoi sert d'ouvrir théoriquement une parenthèse pour certains cas névrotiques, alors que, pratiquement, on peut constater que la proportion de gens névrosés dépasse largement la moitié de la population, et qu'on peut même l'estimer à soixante-dix pour cent ? Ce à quoi il faut ajouter que la frontière entre la névrose et la santé est de plus en plus labile, et qu'elle est en tout cas plus quantitative que qualitative. Même si on se refuse à admettre tout cela, il n'en reste pas moins que la découverte de certains transferts et de leurs effets fait du mariage un jeu à haut risque, un apprentissage par essais et erreurs dont le bénéfice reste fort incertain et dont on ne saurait fixer à l'avance les objectifs, et surtout pas celui que prescrit la morale volontariste : le maintien à tout prix de l'ancien mariage.

La dimension religieuse du transfert : archétype parental et angoisse.

La théologie morale n'en doit que davantage s'interroger sur les conséquences à tirer de l'amour de transfert, ce qui nous conduit maintenant à nous demander quel sens donner à la vieille formule biblique selon laquelle l'amour doit conduire l'homme à « quitter son père et sa mère ». Désormais, il est sans aucun doute évident que les deux choses vont de pair : autant le transfert constitue une entrave à la durée du mariage et empêche même un véritable amour de l'autre, autant la résolution du transfert parental, autrement dit le fait de quitter son père et sa mère, est et doit être la condition indispensable d'un véritable mariage. Tout revient donc à la question de savoir comment une telle résolution est possible : et c'est ici que devient pour la première fois manifeste à quel point la réflexion psychologique peut avoir un impact sur la théologie. Il y a des années que C. G. Jung a décrit les difficultés auxquelles se heurte le psychothérapeute confronté à de tels transferts, ce qui l'a d'ailleurs conduit à remettre en question le caractère désespérant du point de vue de Freud. Les expériences et les arguments de psychologie de la religion qu'il oppose à celui-ci sont extrêmement instructifs et méritent ici un bref résumé.

Ainsi que Freud l'avait déjà perçu, toute psychanalyse prolongée conduit et doit conduire le patient à projeter ses souvenirs d'enfance sur l'analyste, ce qui lui permet de les « répéter » et de les « travailler intérieurement », autrement dit de modifier sa vision des choses héritées du passé et de s'adapter à sa situation, cela grâce à une prise de conscience personnelle de la réalité. À certains moments, lorsque le (ou la) thérapeute et le patient sont de sexes différents, ce qui est très souhaitable, cela suscite en eux certaines formes de transfert amoureux[2]. Pour Freud, il était clair qu'il n'y avait pas grand sens à ce que le thérapeute vienne répondre dans la réalité aux attentes amoureuses (infantiles) de son patient, car cela reviendrait pour lui à élire un partenaire fixé au niveau de développement auquel il se trouve à ce moment, donc à un niveau infantile ; ce qui bloquerait sans doute son évolution nécessaire, puisque le patient aurait trouvé réponse à ses attentes sans avoir eu à les travailler. Il n'est donc d'analyse qui ne suppose son lot de renoncement et de frustration, tant de la part du (de la) thérapeute que du patient (ou de la patiente).

Jung s'est posé la question de savoir d'où provient cette extraordinaire force que le père et la mère exercent sur la vie

2. Voir S. FREUD, *Psychanalyse et médecine* (1927), en annexe à *Ma vie et la psychanalyse*, trad. M. Bonaparte, Paris, Gallimard, 1950, coll. « Idées », p. 93-184 ; *Observations sur l'amour de transfert* (1915), dans *La Technique psychanalytique*, trad. A. Berman, Paris, PUF, 1953, p. 116-130 ; sur la notion de « répétition » et de « perlaboration », voir également *Remémoration, répétition et élaboration* (1914), *ibid.*, p. 105-115 et, dans J. LAPLANCHE et J.-B. PONTALIS, *Vocabulaire de la psychanalyse*, Paris, PUF, 1967, l'article « perlaboration », p. 305-306.

de l'enfant. Freud avait répondu qu'elle tenait à la situation d'impuissance totale où se trouvait celui-ci, et il est bien certain qu'on ne saurait jamais trop insister sur la façon dont il est totalement tourné vers ses parents, en particulier vers sa mère. Or — et l'éthologie actuelle le montre encore mieux que Jung n'aurait pu le savoir alors —, il apparaît que la relation du bébé à sa mère (et plus tard à son père) n'a rien à voir avec un comportement appris par expérience : elle trouve son origine dans toute une série de mécanismes innés de scission. Ce qui ne fait que renforcer le point de vue de Jung selon lequel les expériences individuelles sont déjà marquées par une expérience collective archétypale et qu'elles tirent leur énergie d'attentes où se sont déposées les expériences collectives accumulées tout au long de l'évolution de l'homme. En un certain sens, le père individuel ou la mère individuelle s'inscrivent dans un cadre infiniment plus large et plus riche qu'eux-mêmes[3]. Ainsi, de même que les oiseaux tisserands n'apprennent pas par leur expérience propre l'image de leur nid et le plan achevé de sa construction, mais ont l'un et l'autre empreints en eux selon des différenciations spécifiques, lorsqu'ils sortent de l'œuf, ainsi, d'après Jung, l'homme vient au monde en portant en lui l'empreinte sous forme d'archétypes de la figure du père et de la mère[4]. Pris comme individus, les parents ne sont donc que les premiers catalyseurs de désirs et d'attentes qu'ils ne fondent pas eux-

3. Selon C. G. Jung « l'enfant possède un système dont il a hérité et qui anticipe l'existence des parents et leur influence possible [...] derrière le père se tient l'archétype du père et dans ce type préexistant réside le mystère de l'autorité du père, comme la puissance, qui pousse l'oiseau à migrer, n'est pas produite par lui-même mais descend de ses ancêtres ». (*Die Bedeutung des Vaters für des Schickals des Einzelnen*, 1909 ; Fribourg, Éd. Olten, t. IV, 1969, p. 368.)

4. « Il faut aujourd'hui prendre pour point de départ l'hypothèse que l'homme ne représente pas une exception parmi les créatures, puisque, comme tout animal, il possède une psyché préformée qui montre en outre, comme le révèle une observation rigoureuse, des traits évidents de prédispositions familiales. [...] Il doit s'agir de formes fonctionnelles auxquelles j'ai donné le nom d'"images". Ce terme n'exprime pas seulement la forme d'activité à exercer, mais en même temps la situation typique dans laquelle l'activité se déclenche. » (C. G. JUNG, « Les Aspects psychologiques de l'archétype de la mère », 1939, dans *Les Racines de la conscience*, trad. Y. Le Play, Paris, Éd. Buchet Chastel, 1971, p. 93).

mêmes, mais qu'ils ne font que déclencher et qui renvoient bien plus loin qu'à eux seuls.

Dans cette perspective, C. G. Jung en arrive à attribuer à l'amour de transfert une tout autre valeur que Freud. Si les images du père et de la mère sont, tels des archétypes, innées, il devient impossible de ne voir dans les manifestations de certains amours adultes qu'une régression à des souhaits et à des aspirations infantiles, donc un retour à un stade du développement de la *libido* centré sur le père et la mère. On semble au contraire nécessairement conduit à y déceler une reviviscence, non plus des imagos des parents, mais de leurs archétypes.

L'éthologie et la paléontologie ont largement conforté ces perspectives en montrant que les amoureux ne cessent de rejouer entre eux et à tour de rôle la relation de la mère à l'enfant. L'incorrection grammaticale de leurs propos, la mièvrerie de leur véritable babil, leur façon de s'embrasser, de se faire des cadeaux, correspondent exactement aux désirs originels de ce dernier[5]. Ainsi que l'ont montré les recherches sur les mouettes rieuses, ce comportement repose sur des mécanismes largement évolutifs qui ont biologiquement pour sens de maintenir vivace en l'autre et en soi-même la tendance instinctive à nourrir, donc la capacité de jouer son rôle de père et de mère[6]. Mais, de façon caractéristique, il n'est possible de répondre à ces tâches parentales qu'à la condition d'avoir soi-même trouvé en un autre la protection et l'appui jadis signifiés par le père et la mère.

Chez des animaux, chez lesquels la pariade n'est le plus souvent que momentanée, ces « transferts » réciproques des rôles du père et de la mère ne constituent souvent qu'un épisode passager de l'« amour ». Mais chez l'homme, la résolution du transfert dans l'amour n'est manifestement pas aussi simple. La raison de cette difficulté peut tenir à certains facteurs (quasi) névrotiques liés à la psychogenèse individuelle ; mais aussi, et peut-être principalement, au *besoin global de sécurité* qui distingue fondamentalement l'expérience humaine de celle de l'animal.

5. R. Bilz, « Schrittmachenphänomene », (1948), dans *Die unbewätllige Vergangenheit des Menschengeschlechts. Beiträge zu einer Paläoanthropologie*, Francfort, 1967, p. 22.
6. *Ibid.*, p. 17, 19 ; voir *SB*, II, p. 114.

Du fait de sa nature spirituelle, l'homme diffère en effet totalement de l'animal : celui-ci ne perçoit les dangers et les menaces de l'environnement que de façon ponctuelle, et, selon son espèce, il s'en défend en réagissant de façon mécanique bien typée ; c'est au contraire la totalité de son existence que l'homme se trouve en un sens formellement condamné à découvrir inévitablement menacée, et cette insécurité *de principe, ontologique*, touchant sa vie ne fait que redoubler et radicaliser son désir de sécurité et de repos, son besoin de se sentir accueilli et rassuré[7]. Les figures archétypales du père et de la mère jouent de ce fait le rôle d'une promesse *absolue* qui dépasse infiniment ce que peuvent tenir, non seulement les parents, mais n'importe quelle autre personne. C'est bien aux archétypes parentaux que se rapporte le besoin humain de sécurité ; mais, sous la pression d'une angoisse qui affecte d'un coefficient d'infini la conscience qu'a l'homme de sa fragilité naturelle, ceux-ci acquièrent une dimension qui transcende tout pouvoir humain et qu'il faut finalement qualifier de *religieuse*, tant devient absolu l'appel à des figures d'un père et d'une mère capables de répondre au besoin fondamental de sécurité.

Impossible donc de ne voir dans le transfert, qu'il prenne la forme d'un amour névrotique ou celle, normale, qui intervient dans la situation thérapeutique, qu'une variante particulière ou une dégénérescence maladive de la relation humaine : il constitue toujours un symptôme de la présence d'un registre anthropologique éminent, ou mieux, d'un registre purement religieux[8]. Au lieu de ne voir dans le désir du père et de la mère, caractéristique de l'amour de transfert, qu'un pur infantilisme ou une monstrueuse confusion des sentiments, il devient impossible de méconnaître dans l'amour une certaine vérité du transfert parental, dès lors qu'on décèle les implications *religieuses* de celui-ci. La question se pose alors de façon entièrement nouvelle de savoir comment le résoudre sans retomber dans la « désillusion » résignée de Freud.

Sans doute aucun humain ne saurait renoncer à chercher la sécurité auprès de quelqu'un s'il ne trouve de lieu de

7. L. Szondi, *Lehrbuch der experimentellen Triebdiagnostik*, Berne-Stuttgart, 2e éd., 1960, t. I, p. 182.
8. *SB*, III, p. 323-324.

refuge plus accueillant encore ; il est donc bien naturel et normal qu'une personne, se détachant extérieurement de ses parents, reporte désormais sur l'être qu'elle aime les besoins d'amour que satisfaisaient jusque-là le père et la mère. Mais c'est ici que devient claire la nécessité de détacher de tout support humain les archétypes du père et de la mère, avec tout ce qu'ils comportent de besoin *infini* de sécurité et de repos, pour les diriger sur l'infini, et cela pour rendre possible l'amour humain lui-même.

Il ne saurait donc n'y avoir de réponse que *religieuse* au problème de la résolution de l'amour de transfert. Seul celui qui peut ancrer dans l'infini l'archétype du père et de la mère peut relativiser ses attentes de protection et de sécurité, et ainsi reconnaître et accepter l'autre, avec ses limites réelles. Pour parler plus clairement, seule la foi en Dieu rend possible la dissolution de l'amour de transfert et ouvre à l'amour véritable de l'autre.

L'alternative : foi en Dieu ou amour de transfert.

Cette perspective psychologique a des conséquences extrêmement importantes pour la réflexion théologique sur le problème de l'amour de transfert. On comprend d'abord clairement la signification psychanalytique et théologique (et non plus exégétique, au sens strict du terme) de l'expression « quitter son père et sa mère » pour découvrir ce qu'est l'amour d'une autre personne On voit en outre à quel point il faut lier l'amour humain, tel qu'en parle Jésus en MC 10, et l'action divine. Ainsi que nous l'avons dit en commençant, la mythologie voit en l'amour une réalité divine au sens où il constitue une force incoercible de la nature. Mais il en va tout autrement dans le judéo-christianisme. L'amour y devient œuvre divine dans la mesure où l'homme trouve en Dieu la sécurité qui lui permet d'exister à côté d'un autre humain et de l'aimer humainement, ce qui se manifeste par sa capacité de cesser de projeter ses archétypes parentaux sur lui, donc par celle de « quitter son père et sa mère », au sens psychanalytique de l'expression.

On peut vérifier la pertinence de ce point de vue en considérant dans d'autres passages du Nouveau Testament l'image que Jésus propose de la position de l'homme face à Dieu. On se rappelle qu'il voit un signe ou une conséquence de la foi dans la dissolution des liens, y compris les plus étroits : croire en Dieu, c'est relativiser aussi l'amour qu'on porte à son père ou à sa mère, à ses enfants, et surtout à tout ce qu'on croit pouvoir posséder (Mc 10, 29 ; Mt 10, 37). Pour le Christ, ce n'est manifestement qu'une seule et même chose de trouver Dieu et de renoncer au caractère absolu de ce que l'on attend de l'autre, ou, pour parler psychanalytiquement, au transfert des archétypes parentaux. La psychanalyse nous fait voir comment il ne s'agit là que d'une seule et même chose. L'amour entre l'homme et la femme n'est vraiment possible que si chacun des deux partenaires se sent tellement protégé par Dieu qu'il peut renoncer à rechercher en l'autre le repos que sa mère lui assurait quand il était enfant, ou qu'il cherchait tout au moins à trouver en elle ; ainsi, tout comme la sécurité trouvée dans les parents n'était que le premier stade, la première promesse, d'une sécurité dépassant infiniment celle que l'enfant pouvait trouver dans son père ou dans sa mère, de même l'amour entre l'homme et la femme n'est-il véritable que dans la mesure où il renvoie par-delà lui-même à la sécurité et au repos qu'on trouve en Dieu. Ce n'est donc qu'à partir de Dieu qu'il devient véritablement possible de participer à une relation durable, indissoluble, car seule la relation à Dieu permet d'accepter l'autre tel qu'il est, sans charger sa personne d'attentes qu'on aura absolutisées et déifiées en les arrachant au domaine des archétypes parentaux. Ce n'est que dans la foi qu'il devient possible de « quitter son père et sa mère » véritablement, et c'est seulement à partir de Dieu que l'amour humain est durable, l'amour entre deux humains, un amour qui suppose l'abandon de son père et de sa mère et la dissolution des archétypes parentaux.

Le réalisme de la loi mosaïque ; ou : au « commencement » et dans la « dureté du cœur ».

Le problème auquel Jésus répond en Mc 10 apparaît donc dans une lumière totalement nouvelle, car il faut désormais le lire sur fond d'angoisse et d'incertitude humaines, de quête humaine de repos et de sécurité, et surtout à partir de l'alternative radicale entre amour de transfert et foi en Dieu, entre projection sur l'autre des archétypes parentaux et ancrage des attentes archétypales dans l'absolu. En particulier, les mots de Jésus sur le « au commencement » et sur la « dureté de cœur » propre à la loi mosaïque en acquièrent un relief saisissant.

Dans la pensée biblique, l'« origine » n'a rien à voir avec le temps : elle désigne ce qui est ancré au fond du cœur de l'homme, ce qui lui est essentiel[9]. En l'utilisant, Jésus renvoie avant tout à Gn 2, 24-25, donc à l'image de l'homme tel que Dieu l'a *proprement* pensé et tel qu'il ne peut exister qu'en Dieu. Ce n'est qu'au paradis, dans l'unité de l'homme avec Dieu, qu'on peut s'imaginer un tel amour entre l'homme et la femme qu'ils peuvent se tenir l'un face à l'autre sans honte et sans chercher réciproquement à s'humilier. Tel était bien le point de vue du Yahviste. Mais dès que l'homme se sépare de Dieu, l'unité de l'amour éclate pour faire place à la honte (Gn 3, 8) et à l'ennui (Gn 3, 16-17), à une relation faite de supériorité et d'infériorité, et qui contient donc en soi le germe de la destruction.

En conséquence, Jésus se montre parfaitement réaliste en acceptant le principe juridique que Moïse avait inclus dans la loi « à cause de la dureté de votre cœur », ainsi que le Christ le dit, autrement dit en acceptant le divorce. La « dureté de cœur » ne signifie ici rien d'autre que l'« incapacité d'aimer ». On doit se souvenir que c'est cette « dureté de cœur » que le prophète Jérémie en particulier reprochait au peuple d'Israël, en entendant par là son *manque de foi* ; et, dans la Bible, l'expression désigne plus la relation de l'homme à Dieu que celle des hommes entre eux[10]. C'est la rupture du rapport à Dieu, la « dureté de cœur », qui rend les hommes incapables de s'aimer sans s'accabler les uns les autres d'attentes de repos et de sécurité telles qu'elles écrasent l'amour. C'est en raison de cette dureté de cœur vis-à-vis de Dieu que Moïse, de façon parfaitement conséquente, déclare qu'on peut dissoudre le mariage. La fermeture religieuse implique nécessairement l'incapacité morale d'aimer. Mais, poursuit Jésus, c'est parce que l'échec humain de l'amour n'est pas un fait de nature qu'on ne doit pas

9. *SB*, I, p. XVIII-XXXV.

10. Voir Dt 29, 18 ; Jr 3, 17 ; 7, 24 ; 9, 13 ; 11, 8 ; 13, 10 ; 16, 12 ; 18, 12 ; 23, 17 ; Ps 81, 13.

penser qu'il va de soi : « à l'origine », donc en raison de l'essence de l'homme, « il n'en était pas ainsi ». Sans doute, dans la mesure où on s'est éloigné de Dieu, en dehors de l'Éden, la « dureté de cœur » rend-elle impossible de s'aimer longtemps. Mais, si l'homme cesse de rester uni à Dieu, c'est de sa faute. Ainsi le divorce, aussi nécessaire qu'il soit parfois, reste-t-il un signe de la culpabilité humaine.

L'indissolubilité du mariage : une question religieuse, et non pas morale.

S'il en est ainsi, on se heurte à la question capitale des conséquences à tirer de ce caractère avant tout religieux, et non moral, de la faute. On dit souvent avec légèreté que Jésus a reconstitué en sa personne l'ordre primitif, et que, dans sa conscience messianique, il aurait visé à arracher l'homme à la loi mosaïque pour le rétablir dans sa véritable situation devant Dieu. Théologiquement, cette assertion n'est pas fausse. Mais il est très important de se faire une idée claire du contenu théologique de mots tels que « situation originelle », « messianisme » et « grâce ». On comprend alors que, pour Jésus, le problème du mariage, pas plus que les autres, n'est de nature morale. En renvoyant « à l'origine », il invite avant tout à reconstituer la relation qui lie les humains sous le regard de Dieu, car c'est à partir de Dieu que nous trouvons une réponse à la possibilité de l'amour humain. Dans le cadre du « paradis », c'est-à-dire dans celui de la confiance en Dieu, il est possible d'aimer vraiment l'autre en le laissant être lui-même. Quand quelqu'un s'arrache à l'athéisme de ses peurs, il est capable de retrouver l'autre sans projeter sur lui l'angoisse de ses besoins de sécurité parentale. C'est dans la foi en Dieu que l'amour acquiert sa consistance et sa durée.

En matière d'amour, tout ce qui relève de l'ordre de la morale ou du droit arrive donc trop tard. Seule la confiance en Dieu décide du destin de l'amour mutuel. On ne peut éviter la transposition sur l'autre des archétypes parentaux destructeurs que si on a trouvé ce que Jésus met au centre de sa prédication : une foi en Dieu semblable, ou qui devrait être semblable, à celle de l'enfant (Mc 10, 13-16)[11].

On comprend alors comment les deux membres de la phrase de Jésus en Mc 10 se répondent. De nombreux passages de l'évangile de Marc décrivent l'intervention de Jésus à la façon d'un exposé doctrinal des rabbins du judaïsme tardif : en public, à une question posée, ceux-ci ne répondaient que de façon relative, et ce n'est que dans le cercle de leurs disciples qu'ils reprenaient ensuite plus en détail le problème[12]. C'est ainsi que, en Mc 10, Jésus répond en public à ses auditeurs qu'on ne doit pas considérer la jurisprudence de la loi mosaïque comme un « bon droit » : elle n'est tout au plus qu'une façon pratique de régler les problèmes dans des circonstances liées à l'absence de Dieu. Cela offre apparemment suffisamment de matière à réflexion « pour ceux du dehors » (Mc 4, 11)[13]. Mais, dans le cercle de ses disciples, il explique aux siens ce qui vaut dans le cadre de l'union à Dieu : le mariage est essentiellement indissoluble, et le remariage des divorcés est donc assimilable à un adultère. C'est ici qu'il faut bien saisir combien le changement de lieu, le passage de l'extérieur à l'intérieur, du discours officiel à l'explication aux disciples, présuppose un véritable changement de mentalité, et qu'il ne s'agit donc pas uniquement d'une doctrine rabbinique purement formelle. Seul celui qui a appris de Jésus ce que signifie retrouver une foi d'enfant en Dieu peut comprendre que l'amour entre

11. En revanche, on ne saurait ignorer le fait que la plupart des prises de position purement morales de l'Église en matière de mariage et de sexualité n'engendrent pas la foi, mais l'angoisse et le sentiment de culpabilité. On ne peut lire que comme un persiflage de la morale ecclésiastique le passage du roman utopique de George ORWELL, *1984*, où, parlant du « parti du grand frère », il écrit : « Le but du parti n'était pas seulement d'empêcher les hommes et les femmes de se vouer une fidélité qu'il pourrait être difficile de contrôler. Son but inavoué, mais réel, c'était d'enlever tout plaisir à l'acte sexuel. Ce n'était pas tellement l'amour, mais l'érotisme, qui était l'ennemi, que ce fut dans le mariage ou hors du mariage. » (G. ORWELL, *1984*, trad. Amélie Audiberti, Paris, Gallimard, 1950, coll. « Folio », p. 98.)

12. H. ZIMMERMANN, *Neutestamentlische Methodenlehre. Darstellung der historisch-kritischen Methode*, Stuttgart, 1966 p. 112-113, avec une comparaison critique littéraire de Mt 19, 3-12 et Mc 10, 2-12, p. 105-115.

13. J. GNILKA, *Die Verstockung Israels. Is, 6, 9-10 in der Theologie der Synoptiker* (St. ANT 3), Munich, 1961, p. 23-28.

l'homme et la femme est durable ; pour ceux qui vivent encore dans la « dureté de cœur », cette perspective reste inaccessible, intérieurement impossible ; Jésus ne s'adresse donc pas à eux.

Trois thèses.

Cette différence éminemment théologique entre le croyant et le non-croyant, entre celui de « l'intérieur » et celui de « l'extérieur », constitue évidemment le noyau de toutes les réflexions dogmatiques et morales qui suivent. Car il en découle comme de soi-même trois thèses importantes.

Le caractère sacramentel du mariage comme fondement de son indissolubilité.

Première conséquence : ce n'est que si et dans la mesure où un mariage est conclu que chacun des deux époux peut comprendre son amour, non pas comme le lieu, mais au contraire comme *promesse*, comme *signe* de ce sentiment absolu de sécurité, et que le mariage peut alors prendre un caractère indissoluble.

On peut alors saisir le sens de la doctrine de l'Église catholique selon laquelle un tel signe de sécurité en Dieu est aussi *sacrement*. Il est clair que la doctrine sacramentelle du mariage rend fort correctement ce que Jésus veut dire en Mc 10 à propos de l'amour entre l'homme et la femme : cet amour tient ou s'effondre selon la confiance mise en Dieu et, là où il s'affirme, il est de soi signe efficace de sa solidité en Dieu. Il est en même temps clair qu'on ne saurait parler de l'indissolubilité du mariage que dans la perspective sacramentelle. Le protestant qui adhère à la bonne doctrine luthérienne du mariage comme « chose naturelle » et qui croit de plus au caractère corrompu de la nature humaine, reste parfaitement fidèle à son point de départ quand, en dépit de la parole de Jésus, il déclare le mariage dissoluble et se rattache ainsi au décret mosaïque.

La différence infinie entre la loi inhérente à la foi et une loi morale.

C'est un autre problème de savoir si l'Église a raison, et a même le droit, de faire de l'indissolubilité du mariage une loi *juridique* et *morale*. Il faut faire ici une seconde série de remarques importantes. Quand, face au protestantisme, l'Église catholique proclame le caractère sacramentel du mariage et voit en lui le fondement de l'indissolubilité de celui-ci, elle ne fait que se conformer à la parole de Jésus en Mc 10 ; car on peut constater, aussi bien dogmatiquement que psychologiquement, le caractère plausible de la relation qu'elle établit entre les deux choses. Mais c'est justement parce qu'on doit comprendre le mariage comme un sacrement qu'il devient hautement problématique d'en tirer certaines prescriptions *légales*.

Dans le sacrement de mariage, quand deux personnes s'aiment, leur amour les renvoie, au-delà d'elles-mêmes, au Dieu qui leur donne suffisamment le sentiment de sécurité et de protection pour qu'elles puissent s'accepter avec leurs limites humaines, au lieu de se charger mutuellement de toutes leurs attentes d'absolu. Il s'ensuit que le mariage, au sens strictement théologique, est purement œuvre de la *grâce*. Les humains ne peuvent vivre entre eux qu'une relation semblable à celle que décrit le conte *La Jeune Fille sans mains* ; il leur faut apprendre à vivre dans une demeure sur laquelle est écrit : « Ici, chacun vit libre. » Ce n'est que dans le cadre de la grâce divine que l'amour entre humains est possible. La condition absolue pour recevoir le mariage, c'est donc la foi, avec tout le sentiment de sécurité qu'implique cette confiance en Dieu chez chacun des deux époux. Mais si cet ancrage de l'existence fait défaut chez l'un d'eux, le couple est en danger de s'effondrer, tout comme un pont qui ne peut plus porter sa charge lorsque l'une des deux piles est ébranlée. La solidité de l'amour est donc œuvre de la grâce : elle est le résultat d'une confiance inébranlable. Elle n'a donc rien à voir avec un bien moral ou juridique relevant de l'intelligence ou de la volonté.

C'est ici que l'on découvre combien est extrêmement problématique la loi morale ou juridique de l'Église concernant l'indissolubilité du mariage. D'une conséquence de la foi, elle fait l'objet de la volonté. D'une œuvre de la grâce divine, elle fait une œuvre de l'homme ; d'un mystère théologique, elle fait un principe juridique ; d'une réalité surnaturelle, elle fait un acte dont on ne voit plus en quoi il diffère de ceux qu'on peut poser dans d'autres groupes extérieurs à l'Église : un acte conforme aux règles et aux conventions sociales auxquelles l'Église n'ajoute rien, sinon l'obligation morale de l'indissolubilité. C'est ainsi que l'on masque le meilleur de la doctrine théologique : le fait que le mariage, en tant que sacrement, n'est pas une institution purement humaine, mais qu'il est œuvre de la grâce divine. Or, il est impossible de fonder aucun *commandement* sur cette base de la grâce ; de celle-ci, on ne peut que tirer des *conséquences* immédiatement évidentes pour ceux qui vivent dans son ordre, et aussi longtemps qu'ils y demeurent. De telles conséquences n'ont rien à voir avec la morale générale et la jurisprudence ; on ne saurait absolument pas les imposer moralement par la raison et la volonté ; elles existent lorsque les conditions de la confiance sont réunies ; mais si celles-ci n'existent pas, aucun effort moral ne saurait y forcer.

L'indissolubilité du mariage est donc une doctrine de *théologie* morale, au sens strict, qui fait complètement éclater le cadre d'une éthique purement philosophique ; elle est la conséquence d'une vision de l'existence qui permet d'échapper à une vie marquée par l'angoisse et la déréliction divine et de retrouver le réancrage « originel » en Dieu. D'un point de vue purement moral, on ne saurait pas plus l'imposer comme obligation de la volonté que les prescriptions du sermon sur la Montagne appelant à ne pas rendre les coups reçus (Mt 5, 39) ou à ne répliquer aux attaques et aux exigences d'un adversaire qu'en allant au-devant de ce que celui-ci demande (Mt 5, 40). De même qu'on n'a jamais osé ériger ces prescriptions en lois, même si elles ne font rien d'autre que de formuler les règles de la nouvelle alliance, on ne saurait manifestement non plus élever l'indissolubilité au niveau d'un devoir *moral*.

Tout repose donc sur l'existence du sentiment de sécurité fondamentale en Dieu. S'il n'existe pas, les lois et les sanctions ne sauraient forcer à l'amour ; elles ne feront au contraire que susciter de nouvelles craintes et de nouvelles peurs, qui viendront s'opposer à la libération de l'angoisse et à la redécouverte de la confiance ; et même si on arrive à les faire respecter extérieurement, elles contribueront beaucoup plus à saper et à détruire l'amour qu'à le promouvoir : elles finiront pas dresser une statue sans cœur ni sentiment, sans chaleur ni vie, un fossile du devoir. La seule chose que l'on *doive* dire, c'est que le divorce est toujours un signe de la perte de la grâce ; mais cela ne saurait déterminer si, dans des cas individuels, l'expérience de déréliction, d'angoisse, de dépendance constitue subjectivement un « péché », ou si elle est au contraire un premier pas vers plus de confiance, d'indépendance et de bonté.

Pour donner une apparence de justification aux lois et aux sanctions pratiques de l'Église, on objectera à notre exposé que seul un droit strict et des prescriptions morales claires pourront aider à endiguer le laisser-aller et la débauche, donc l'immoralité, au sens large du terme. C'est peut-être partiellement le cas. Mais, dans cette argumentation, on oublie à quel point le besoin d'amour se trouve ancré dans l'homme tel que le décrit Gn 2, et que c'est la rupture de l'union à Dieu qui vient seule saper le caractère durable des liens humains. Théologiquement, impossible donc de chercher la raison des dérèglements dans des faiblesses morales telles que défaut de volonté, déchaînement de la sensualité, insuffisance de la formation morale, donc dans des fautes auxquelles des statuts moraux pourraient porter remède. S'il est exact que l'homme a été essentiellement créé pour aimer et que seule sa séparation de Dieu et sa sortie du champ de la grâce le rendent incapable d'amour, on ne peut penser d'autre loi juridique et morale que celle de Moïse, capable de régler de façon réaliste et pragmatique les relations humaines : elle sait l'impossibilité de surmonter moralement et juridiquement la « dureté du cœur de l'homme », et donc la nécessité de prendre en compte celle-ci pour fonder l'ordre légal. Elle sait aussi que l'homme lui-même *souffre* de son incapacité d'aimer, laquelle n'est en tout cas pas innée, mais artificielle ; et qu'il ne peut être et vivre autrement qu'à la condition d'échapper à la déréliction d'une existence coupée de Dieu : œuvre de la grâce, qu'il ne saurait forcer moralement.

La doctrine de Jésus concernant l'indissolubilité du mariage ne saurait donc avoir pour sens d'améliorer moralement la loi mosaïque par une super-loi. Elle ne fait que décrire ce que pourraient être les relations interhumaines, si on les reconduisait à leur condition originelle. C'est un enseignement qui ne peut être supporté que dans la foi ; sans celle-ci, en dehors du cercle des disciples, il n'a pas de valeur, car on ne saurait l'imposer sérieusement sans provoquer de dommages. On voit bien le résultat de certaines tentatives de l'Église — par exemple aujourd'hui encore en Italie, pour interdire pénalement le divorce ou le remariage de « divorcés », en recourant au bras séculier.

Mais, dira-t-on, à *l'intérieur* de l'Église, dans le cadre de la communauté de croyants, on peut et on doit pourtant fixer des règles et des commandements. Pour celui qui est baptisé, qui croit au Christ, l'indissolubilité du mariage doit bien constituer une *loi* qui découle de la foi. Certes, il est évident que la foi entraîne certaines normes d'action et de comportement et, si l'Église était une communauté de saints, cette indissolubilité du mariage aurait la force inconditionnelle d'une loi de la nature. On n'aurait à l'imposer ni par décret ni sous la menace d'un châtiment. Elle serait l'expression toute naturelle d'une vie rendue à elle-même en Dieu. Mais l'Église n'est pas une communauté de saints, et c'est bien pour cela que l'on n'arrive à rien à coup d'ordonnances morales et juridiques. Elle réunit des gens qui ne sont pas chrétiens, mais qui le *deviennent*, et il n'est pas du tout certain que la connaissance du Christ ou la réception extérieure d'un sacrement tel que le mariage jouent sur la *foi* au point que quelqu'un en arrive vraiment à intérieurement « quitter son père et sa mère » par confiance en Dieu. Il suffit de relire l'analyse de Freud sur la conversion pour savoir combien souvent la religion peut n'être que la conséquence d'une dépendance psychique à l'égard des parents.

Si donc on veut admettre que la foi entraîne certaines lois pour l'action, cela ne signifie absolument pas qu'il faille faire de l'indissolubilité du mariage une loi morale et juridique.

La difficulté tient avant tout en ce que les chemins de la conscience subjective, tels que nous les avons présentés dans le cas de l'amour de transfert, ne suffisent pas pour savoir comment aménager sa propre existence, par rapport à autrui, encore moins par rapport à Dieu. Moralement et juridiquement parlant, il se peut qu'un mariage apparaisse impossible, et soit donc frappé de nullité, si l'on tient compte de ces anciens empêchements qu'étaient l'ignorance, la contrainte, l'erreur sur la personne ou l'impuissance, en supposant qu'on prenne ces définitions au sens intérieur plutôt que dans la platitude de leur sens extérieur. Si tel est le cas, nous devons alors dire que, mesuré à l'aune de la théologie, et compte tenu des circonstances, un mariage, au sens civil du terme, et fût-il conclu sous la bénédiction de l'Église, n'a pas acquis de réalité ; et que s'il vient un jour à se briser, on ne saurait vraiment parler de divorce, au sens théologique du terme. Pour le Code civil, un mariage est valable du moment que l'on a respecté un certain nombre de conditions extérieures. Mais la théologie, elle, s'appuie sur un tout autre critère pour reconnaître la valeur d'un sacrement : elle suppose la foi. S'il s'avère donc qu'on ne peut constater clairement la foi ni chez les époux ni chez leur entourage, s'il subsiste chez l'un d'eux certaines formes d'angoisse, de dépendance et de contrainte qui peuvent rester parfaitement inconscientes même lorsqu'elles le marquent profondément, il est clair que la théologie conduit à prendre une tout autre attitude que la morale ou le Code civils. Civilement, le mariage est fondamentalement dissoluble, mais son existence est constatable à certains signes extérieurs. Théologiquement, il est essentiellement indissoluble, mais sa réalité reste un mystère fondé sur la relation entre l'homme et Dieu et dépourvu de tout critère vérifiable. Il n'existe pas de fiction juridique ou de sanction pénale capable d'effacer cette incertitude. On ne saurait jamais déclarer définitivement que deux personnes qui se sont donné le sacrement de mariage l'ont vraiment reçu ; et, dans les cas particuliers, on ne sait pas clairement « ce que Dieu a uni » ni ce qui, venant de l'homme, unit ou sépare. On peut seulement présumer — suivant en cela l'exemple de Gamaliel (Ac 5, 34-39) — que ce que Dieu a uni se fera bien voir à son caractère indestructible. Ce n'est donc qu'aux effets de la foi qu'on peut constater le lien qui existe entre Dieu et l'homme. Et inversement, il faut sans doute voir dans l'échec d'un couple une preuve que ce qui avait été conclu ici ne venait pas de Dieu.

Concernant la doctrine de l'indissolubilité du mariage, il faut donc éviter le glissement de cette loi et de ce critère essentiels qu'est la foi en prescription morale sans dimension de foi. Dans le roman de Graham Greene, *Le Fond du problème*, le major Scobie se demande un jour s'il pourrait croire en une intervention de Dieu en faveur de son épouse tellement pitoyable, alors que lui, Scobie, s'en dispenserait : et il doit s'avouer qu'il n'a jamais eu cette foi. C'est bien là que s'enracine la tragédie d'une bonne volonté dont on a trop attendu. Pour que son mariage puisse tenir, il devrait s'en sentir déchargé, confiant que Dieu intervient là où cesse son action à lui. Telle est aussi la confiance que l'Église dans son ensemble, en même temps que les époux, devrait mettre dans le mariage : ce qu'elle a à administrer, c'est le mystère de la grâce, et non un système univoque de droits à revendiquer.

Mariage et célibat.

On peut également tirer une troisième conséquence de notre étude de l'amour de transfert : elle jettera une lumière nouvelle sur le lien et sur la complémentarité nécessaire, si souvent réaffirmés par l'Église, entre le mariage et le célibat, celui qu'on excipe avant tout de Mt 19, 10-12. En fait, la capacité de se détacher de sa famille pour entrer dans le jeu d'une projection et d'un transfert absolus est un élément constitutif de l'amour. Dans cette mesure, le mariage implique un temps permettant de vivre à l'état pur « le célibat pour l'amour de Dieu ». Inversement, le célibat religieux a besoin de trouver sa confirmation dans une capacité d'amour et une liberté vis-à-vis de l'autre, ce dont le mariage est la réalisation la plus pure. Célibat et mariage sont donc comme les deux temps d'un seul et même mouvement où l'amour de Dieu et l'amour de l'homme ne forment plus qu'un. Tous deux ont besoin l'un de l'autre pour manifester ce qu'est l'Église prise comme un tout, ou ce qu'elle devrait être (voir Mt 19, 10-12 ; Ep 5, 31-32).

UNE FORME PARTICULIÈREMENT TRAGIQUE DE MALENTENDU DANS LE MARIAGE

ou

Du droit au divorce et au remariage dans l'Église catholique

> Je maudis les heureux auxquels le malheureux ne sert que de spectacle.
>
> J.W. GOETHE, *Les Affinités électives*, I, XVIII.

Appel chrétien à la fidélité et drame de l'échec.

La question fait toujours l'objet de débats chez les chrétiens : au lieu de continuer à refuser le remariage des divorcés, l'Église catholique ne pourrait-elle y consentir ? Elle est lourde de conséquences morales et juridiques. Mais on n'en saisit la véritable dimension qu'en posant le problème sur le plan dogmatique, autrement dit en comprenant le sens que l'Église donne, ou devrait donner, à sa doctrine sacramentelle de l'amour de l'homme et la femme.

Si on adopte le point de vue officiel de l'Église catholique sur la question, celui que réaffirme le synode de Würzburg, et plus encore le synode romain des évêques, en 1980, le problème se résume en deux propositions : la sexualité humaine est « un bien humain et moral seulement dans le mariage » et « celui-ci est indissoluble »[1]. Conformément à ces deux principes, encycliques et lettres pastorales insistent de plus en plus sur la nécessité de lier en toutes circonstances exercice de la sexualité, institution conjugale et, d'une façon ou d'une autre, transmission de la vie ; elles dénoncent la tendance de trop de jeunes et d'adultes à avoir des relations sexuelles même sans intention de se marier. En langage ecclésiastique, elles croient devoir parler de « peur de s'engager ». Elles balaient les difficultés et les déchirements des couples en rappelant le devoir de fidélité ; elles font cela tout en sachant, en toute conscience, qu'elles vont à l'encontre de l'opinion publique et se séparent des autres Églises chrétien-

1. H. J. FISCHER, « Die katholische Lehre über die Ehe », dans le journal *Frankfurter Allgemeine Zeitung*, du 27 oct. 1980, p. 12.

nes en interprétant autrement qu'elles les textes bibliques sur lesquels on entend fonder la position catholique.

En janvier 1981, par exemple, le synode général de l'Église anglicane concluait son débat sur le divorce en déclarant que les divorcés remariés pouvaient recevoir la sainte communion et qu'on pourrait même les ordonner prêtres. Le seul problème laissé en suspens fut celui de savoir si on devait les remarier à l'Église[2].

D'autre part, une enquête représentative menée en France, pays du bon Dieu, montre à quel point l'opinion publique et les positions de l'Église divergent en ce qui concerne les formes de vie commune entre hommes et femmes. Entre dix-huit et cinquante ans, deux Français sur trois sont partisans d'un « mariage à temps (indéfini) ». Les trois quarts des personnes interrogées pensent que le mariage du couple n'est pas absolument nécessaire, que l'essentiel c'est l'amour. Soixante pour cent s'affirment alors partisans d'une vie commune prémaritale, la moitié d'entre eux affirmant avoir eux-mêmes pratiqué ce « mariage à l'essai »[3]. Ce à quoi l'Église catholique oppose le mot du pape selon lequel on ne peut pas plus aimer à l'essai que mourir à l'essai. Du reste, Shakespeare déclarait déjà qu'il valait mieux « être pendu que mal marié » ! Mais l'Église catholique insiste fermement sur le fait que la fidélité à la vérité du Christ ne laisse pas plus place à un apprentissage de l'amour qu'à l'incubation de la haine : le lien (sexuel) d'amour implique en soi l'intention et la promesse de fidélité indéfectible. Pour elle, le caractère sacramentel du mariage consiste précisément en ce que cette fidélité réciproque manifeste visiblement l'éternelle fidélité de Dieu envers l'homme.

Dans ce qui suit, je voudrais montrer que cette vision des choses repose bien sur un droit idéal, mais que, moralement et juridiquement parlant, elle reste beaucoup trop extérieure et trop abstraite pour être vraie : on a beau la proclamer et la proclamer encore, elle reste sans prise sur la réalité ; et cela parce qu'on n'a pas suffisamment poussé l'analyse et qu'en présupposant, ou en favorisant, tout au moins, une certaine interprétation de la parole de Dieu, on en arrive implicitement à trahir l'anthropologie chrétienne et la doctrine sacra-

2. *Frankfurter Allgemeine Zeitung*, 26 février 1981.
3. *Ibid.*, 22 février 1981.

mentelle du mariage. Nous chercherons au contraire à comprendre en quoi cette doctrine sacramentelle peut nous permettre de penser tant l'échec que la réussite de la vie commune, dans le mariage aussi bien qu'en dehors de lui.

Commençons par l'idée de fidélité, qui, comprise comme devoir moral de vie commune « jusqu'à ce que la mort vous sépare », peut dégénérer en axiome extrêmement problématique. La fidélité est une attitude qui s'enracine dans l'amour. Elle n'est pas le fondement, mais une conséquence de l'amour. En faisant donc appel à elle pour conjurer une crise conjugale, on ne fait que confondre avec l'amour ce qui n'en est qu'une expression, sans tenir compte des conditions de sa croissance et de sa durée. On fait de la fidélité une valeur en soi, en se dispensant ainsi de toute réflexion sur les motifs pour lesquels des époux continuent à vivre ensemble ou se séparent, en excluant même toute analyse de ce genre. À des gens finalement contraints de se séparer, parce que leur amour est mort, ou parce que, au terme de longues années, ils découvrent qu'ils ne se sont jamais vraiment aimés, l'Église ne trouve finalement qu'un seul et unique mot à opposer pour qualifier leur attitude : « infidélité » ; dès lors qu'ils entendent donner définitivement un caractère légal à leur séparation et envisagent une nouvelle forme de lien, ils trahissent leur promesse sacramentelle et sont donc en état de péché grave, coupés de Dieu.

Le jugement moral et juridique est encore plus net en cas d'irruption d'une tierce personne dans un couple marié, surtout si cela conduit à une liaison durable. Or, dans ce cas, l'infidélité pose un problème d'autant plus délicat à la juridiction ecclésiastique que la miséricorde lui demande de pardonner si le coupable se repent, mais que, dans sa volonté de demeurer indéfectiblement fidèle à la parole du Seigneur, elle croit que le droit et la morale lui commandent de le blâmer, tout en sachant parfaitement combien rare dans l'histoire est le « regret » d'un véritable amour, sans parler de sa rupture sous l'effet de ce « regret ».

Il suffit de réfléchir un instant à la situation sans issue sur laquelle peut déboucher l'interprétation rigoureuse de cette doctrine pour comprendre immédiatement le caractère approximatif, prétentieux et injuste de cette réduction du problème du divorce à une alternative, fidélité ou infidélité, alors qu'il n'existe pas de cas individuel qui ne révèle sa complexité. Poètes de tous temps et de tous lieux ont employé le meilleur de leur talent à rendre vraiment compte des troubles et des complications du cœur humain : qu'on songe à ces personnages étranges et admirables que sont Jason et Médée, Thésée et Ariane, Didon et Énée, Tristan et Iseult, Lancelot du lac et Guenièvre, à travers lesquels nous sont décrits la force et le caractère invincible de l'amour, la diversité de ses manifestations et de ses motifs, et la façon dont, en ce monde, il est fréquemment condamné à l'échec. Quelqu'un saurait-il vraiment qualifier toutes ces amours d'infidélité, d'immoralité, d'adultère, de péché grave, ainsi que le voudrait la doctrine chrétienne ? Et si l'on hésite à porter ce jugement sur des personnages de la littérature des beaux esprits par crainte de se voir traité de philistin et de fanatique impitoyable, impossible aussi de trancher dans la vie réelle sans se voir condamné comme quelqu'un d'incapable de comprendre ou de prendre au sérieux les sentiments humains.

C'est ainsi qu'on exalte cette grande épopée de l'amour conjugal que serait l'*Odyssée* d'Homère. Mais n'est-ce pas degré par degré que l'Ulysse grec a dû purifier son image de la femme, avant de retrouver sa femme Pénélope ? Au cours de son errance, la figure de la femme s'est d'abord manifestée sous les traits d'Hélène, la séductrice semant partout la zizanie, de la Sirène, au chant paralysant, de Circé, l'enchanteresse capable de transformer les hommes en porcs, de la nymphe Calypso, si séduisante et si gentille dans le paradis de sa grotte, et d'Ino, enveloppant de sa bande magique celui qu'elle vient de sauver du naufrage pour lui permettre d'atteindre plus sûrement la terre ferme. Il faut ce long parcours, semé d'embûches et fait d'errances, pour qu'Ulysse, nu, puisse rencontrer Nausicaa l'effarouchée, la fille d'Alcinous, et se montrer enfin capable de retrouver sa fidèle épouse. Combien de mariages ne sont-ils pas cette odyssée sur le long chemin de l'amour ? Et qui voudrait contrer la volonté des dieux et interdire, sous peine des plus terribles punitions, tout développement de l'amour qui ne déboucherait pas droit sur une réussite conforme à la morale et à la règle ? Est-ce sérieusement qu'on ne veut voir en Goethe qu'un concubin et en Hermann Hesse qu'un adultère, par conséquent, uniquement des gens en état de péché mortel ? Faut-il vraiment stigmatiser la passion du jeune Werther ou, dans le roman de Hesse, *Klein et Wagner*, ne voir dans la détresse de Klein, fatigué de son couple, que les conséquences de sa pure immoralité ? Veut-on vraiment s'en tenir à des jugements de ce genre ?

On peut, et cela arrive, s'accrocher *mordicus* à la parole dite de Dieu selon laquelle l'homme ne doit pas séparer ce que celui-ci a uni ; mais alors, l'assertion que la vie commune du couple est la plus haute valeur du mariage ne peut plus tenir, et l'on doit prendre son parti du fait que sa forme — aboutissement de l'amour — est plus importante que celui-ci lui-même ; on doit consentir à opposer cette interprétation de la fidélité à ce qu'il y a de plus essentiel dans l'amour ; au nom de Dieu et de l'Église, on doit mettre entre parenthèses, comme trop dangereux, imagination, érotisme, richesse d'expérience, intensité des sentiments, honneur et liberté intérieure ; il faut en revanche exalter à tout prix la fidélité, au nom du devoir, même quand on sait fort bien que cette « fidélité » extérieure peut se traduire par des comportements qui n'ont pas le moindre rapport avec l'amour et le lien intérieur, mais relèvent plutôt de l'inertie, de l'entêtement, de la sécheresse de cœur, de la paresse ou plus encore d'une vision parfaitement infantile de parents et d'une Église changés en gigantesque surmoi sadique. Cette conception conduit en particulier à admettre comme théologiquement vraie l'idée qu'on doit toujours appliquer la parole de Dieu, même dans les cas les plus monstrueux et les plus insensés ; ce qui aboutit à mettre en contradiction le caractère humain et divin de cette parole, donc à se moquer tout simplement de toute théologie raisonnable de l'incarnation.

Mais on peut également voir dans la contradiction éclatante entre la lettre d'un texte biblique et la réalité de l'existence la preuve que l'on n'a pas encore suffisamment approfondi une parole donnée, avec toutes ses exigences, dès lors que cette parole débouche sur des conclusions parfaitement cruelles et injustes selon les sentiments humains.

Le choix entre ces deux possibilités se pose très tôt. Il est des gens pour qui la contradiction entre la théologie morale conjugale officielle de l'Église catholique et les exigences de la pastorale pratique, confrontées aux innombrables misères des couples, ne pose aucun problème religieux ou théologique. Pour eux, pas d'état d'âme : ils peuvent sans sourciller rappeler aux conseillers conjugaux catholiques que leur devoir est de réconcilier envers et contre tout les couples en détresse. Mais il en est aussi qui ne peuvent se résoudre à ne voir dans la contradiction entre la théorie et la pratique qu'un simple symptôme de l'inévitable faiblesse humaine : tel le savant devant certaines données de ses expériences — il a suffi à Michelson d'une seule exception constatée aux lois du système de la physique newtonienne pour le conduire à renoncer à toute cette belle construction de l'esprit —, ils ont appris à ressentir un respect sacré devant les contraintes de la misère et de l'amour humain ; ils en arrivent alors à mettre en doute la vision peut-être si logique et si cohérente que leur offrait la parole de Dieu, plutôt que d'invalider l'expérience de cette foule de gens qui affirment n'être en rien coupables de la tragédie que constitue leur mariage. Et ils trembleront à l'idée de se faire l'avocat de Dieu et de le calomnier en réalité, en le rendant semblable à ce personnage d'une pièce radiophonique de Ingeborg Bachmann, dans *Le Bon Dieu de Manhattan* : le gardien de nuit, moraliste rigide, consent certes à fermer les yeux sur certains ébats amoureux nocturnes ; mais, le matin venu, il ne veut plus rien entendre d'une quelconque fidélité des amants, et il conseille à son « écureuil » de faire sauter à la dynamite tous les surgeons d'anarchie amoureuse. Face à la misère d'amours « désordonnées », ils préféreront reprendre la prière du poète bengali Rabindranath Tagore : « Pardonnez, mon révérend, à deux pécheurs. Aujourd'hui les vents de printemps soufflent en tourbillons, balayent la poussière et les feuilles mortes, et avec elles vos leçons. Ne dites pas, mon père, que la vie est vanité. Car, pour un jour, nous avons fait trêve avec la mort et, pour quelques heures parfumées, nous sommes tous deux devenus immortels[4]. » Ils penseront en tout cas à la réponse que Jésus a donnée aux pharisiens et aux scribes venus protester contre ses disciples qui avaient arraché des épis le jour du sabbat (Mc 2, 25) ; il leur répondit que la faim physique de l'homme constituait devant Dieu *un argument* justifiant le non-respect du sabbat et le vol, et il déclara même que David, affamé, avait eu raison de piller le sanctuaire du temple de Nob et de commettre un sacrilège en y volant les pains d'oblation pour les manger (1 S 21, 2-7).

4. R. TAGORE, *Le Jardinier d'Amour*, trad. H. Mirabaud-Thorens, Paris, Gallimard, 1963, p. 82.

Le véritable problème :
les angoisses inconscientes.

Pour illustrer notre propos concernant le caractère inévitable de certains malentendus conjugaux, prenons un exemple de « faim » particulièrement tragique ; il montrera, une fois pour toutes, que les admonestations morales et juridiques, non seulement ne servent souvent à rien, mais sont même dangereuses et dommageables ; qu'il y a des cas où mettre fin à une union devenue intenable peut être une forme de fidélité à l'être de l'autre ; que cela peut donc être un droit, et même un devoir, divin et humain, d'oser se lancer dans une nouvelle vie où, s'il plaît à Dieu, tenant compte des erreurs passées, on pourra chercher son bonheur dans un nouveau et véritable mariage ; car ce sont habituellement les errances du cœur qui en apprennent justement le plus sur la vérité du cœur de l'homme. Aussi n'entendons-nous parler du caractère *tragique* de l'amour que pour faire mieux saisir la vérité de son *bonheur*.

Deux chapitres plus haut, j'ai montré comment certains mariages se fondent sur de véritables chassés-croisés, donc davantage sur la peur que sur la foi, davantage sur l'importance accordée intérieurement à la mère ou au père que sur l'indépendance et la liberté, davantage sur une image que l'on s'est faite du partenaire que sur une véritable perception de celui-ci ; bref, la peur, la contrainte ou l'erreur sur la personne ont ici plus de place qu'un amour qui, par-delà lui-même, pourrait renvoyer à Dieu et serait donc signe sacramentel de son action et de sa grâce. Il existe en particulier des formes d'amour qui sont fatales, parce qu'elles échappent totalement à la volonté : celles dans lesquelles la psychanalyse reconnaît les suites de certaines relations de transfert. Bien sûr, si nous n'avions affaire qu'à ces quelques confusions psychiques de l'amour, la théologie morale catholique pourrait peut-être encore se retrancher dans la forteresse de son « Ce que Dieu a uni [...] » en classant les cas d'amour de transfert et les échecs matrimoniaux qui en résultent dans la catégorie d'« incapacité psychique » de conclure un mariage, se dispensant ainsi de se déclarer compétente. Mais, même alors, il faudrait admettre que les choses ne peuvent pas être aussi simples que voudrait *a priori* le croire la morale catholique : l'homme n'est pas un être libre et raisonnable que Dieu aurait en toutes circonstances rendu capable d'obéir à ses injonctions. Les choses étant ce qu'elles sont, il faut plutôt admettre que la plus grande partie de la psyché humaine relève de l'inconscient, et que l'homme est par conséquent déterminé ; on doit même avouer qu'il existe des angoisses enracinées dans l'inconscient dont les effets échappent au contrôle de la conscience et qui ne relèvent donc pas de la responsabilité morale. Corollaire immédiat : il faut de manière générale poser le problème du mariage à un tout autre niveau que celui de la morale. La véritable question porte sur la manière dont on peut sur ces angoisses inconscientes revenir dans un travail intérieur et susciter une confiance suffisamment profonde pour rendre quelqu'un psychologiquement capable d'aimer.

La question du mariage devient donc essentiellement celle de la foi ou de la non-foi. C'est d'ailleurs exactement celle que pose la *dogmatique* catholique : celle de la présence de Dieu et du signe indestructible de sa grâce. Il ne s'agit donc pas d'une question morale, au sens de l'éthique bourgeoise. Si l'on veut porter un jugement pertinent sur le problème, on doit donc commencer par analyser les angoisses et les facteurs générateurs d'angoisse qui s'opposent à l'attitude de foi, ce qui ressort de la *psychanalyse*. En croyant pouvoir se dispenser de cette analyse de la structure caractérielle de l'individu, le discours du moraliste qui, le doigt menaçant, lance un appel vibrant à la « fidélité » et exhorte à maintenir coûte que coûte la vie commune, fait preuve d'une arrogance impudente et n'est pas juste, d'un point de vue théologique. Face à l'angoisse, seule la foi résiste, et c'est *là* le vrai terrain de la théologie. Ce n'est qu'à partir de cette foi que les considérations morales sont valables. C'est pourquoi il faut commencer par voir en quoi l'angoisse en est la négation.

Le modèle tragique d'un couple constitué d'un névrosé obsessionnel et d'une dépressive.

Pour mettre en évidence les suites catastrophiques d'une certaine façon de brandir le devoir de fidélité, propre à la vision moralisante du mariage dans l'Église catholique, nous présenterons une forme particulièrement malheureuse d'échec conjugal, échec dont morale et droit canon devraient tirer les conséquences. Les personnes concernées ne sont pas de celles auxquelles on serait tenté de refuser le mariage pour cause d'incapacité psychologique (en entendant par là une incapacité de former un couple durable). Il s'agit de personnes qui auraient éventuellement pu être très heureuses avec un autre être que celui qu'elles ont eu le malheur d'épouser bien des années auparavant, que parfois même elles se sont crues obligées d'épouser, mais avec lequel elles sont incapables de mener une vie commune. Elles seraient d'accord pour se garder une fidélité absolue, et prennent extrêmement au sérieux leur devoir moral. Impossible donc de juger de leur problème en se contentant de parler de légèreté ou de superficialité.

Examinons donc de près ce que peut être la relation de deux époux, l'un souffrant de névrose obsessionnelle et l'autre de dépression : elle peut être moralement saine, mais humainement tragique, et cela suffit pour faire voler en éclats toutes les catégories morales et juridiques.

Nous ne pouvons songer ici à reprendre toute la réflexion psychanalytique qui a conduit à ces notions de base, ni à détailler toutes les variétés des complexes possibles[5] ; nous nous contenterons de mettre en évidence cas par cas certains traits marquants importants pour notre réflexion. Pour simplifier les choses, nous envisagerons une situation où c'est le mari qui est l'obsessionnel et la femme dépressive, même si l'on peut rencontrer la situation inverse ; nous tenons ainsi compte de la situation psychosociale dominante dans notre société, où ce sont plus souvent les hommes qui se trouvent accablés par les contraintes du rendement et du perfectionnisme (névrose obsessionnelle), tandis que les femmes sont plus prédisposées à l'attitude d'humilité et de résignation propres à la dépression. La répartition des caractères que nous

5. Voir entre autres : P. FEDERN, *La Psychologie du moi et les psychoses*, Paris, PUF, 1900 ; O. FENICHEL, *La Théorie psychanalytique des névroses*, 2 vol., Paris, PUF, 1900 ; E. JACOBSON, *Les Dépressions : étude comparée d'états normaux, névrotiques et psychotiques*, trad. H. Couturier, Paris, Payot, 1989 ; G. BENEDETTI, *Psychodynamik der Zwangneurose*, Darmstadt, 1978. Voir aussi E. DREWERMANN, *Psychanalyse et théologie morale*, trad. J.-P. Bagot, Paris, Éd. du Cerf, 1991, t. I, en particulier p. 11 s. et p. 129-130.

avons adoptée y gagne en représentativité. Ajoutons encore que le cas choisi est un cas limite de deux névroses à l'*état pur*, alors que ce n'est pas toujours la règle ; mais c'est bien la confrontation de ces deux types « purs » que l'on retrouve sous-jacente à tous les imbroglios tragiques de tant de couples. Bien entendu, ces relations névrotiques ont également des traits génétiques, avec toutes les variantes de l'amour de transfert. Cependant, nous nous contenterons, pour le moment, de montrer uniquement comment ce couple court à l'échec, en dépit de sa bonne volonté. Cela correspond d'ailleurs parfaitement à l'expérience vécue ; car les personnes concernées n'ont habituellement pas du tout conscience de l'arrière-plan génétique, et quand elles s'en aperçoivent, il est généralement trop tard.

L'erreur de l'« avantage commun ».

Le drame d'un couple formé d'un névrosé obsessionnel et d'une dépressive débute généralement dans l'euphorie de la séduction réciproque. À elles seules, les circonstances de la première rencontre et les raisons qui poussent à se tourner l'un vers l'autre sont révélatrices[6]. Voici un garçon de vingt ans qui s'est toujours montré élève modèle dans le lycée où il préparait son baccalauréat : mais il était beaucoup trop raide et trop bloqué pour aborder une fille. Dans ses contacts, il souffrait d'un complexe d'infériorité, qu'il cherchait à compenser par son rendement scolaire, avec le vague espoir, non sans fondement, de voir un jour une personne de l'autre sexe reconnaître et apprécier son zèle. Or, voici qu'il rencontre une jeune fille dépressive qui aspire de toutes ses forces à trouver amour, protection et compréhension, mais qui, sous l'emprise de son angoisse et de son sentiment de culpabilité, n'ose pas exprimer ses sentiments. Au lieu de cela, elle croit que c'est en se sacrifiant, en se donnant, en se rendant disponible qu'elle pourra conquérir la faveur d'un homme qui ne la décevra pas et ne l'abandonnera pas. Les deux attentes paraissent donc parfaitement assorties : le névrosé obsessionnel trouve accès à l'autre sexe sur le seul

6. Voir J. G. LEMAIRE, *Les Conflits conjugaux*, Éd. soc. de France, 1971, p. 150.

chemin qui le lui permette : celui de l'action et du rendement ; et, inversement, la femme dépressive peut croire qu'elle aussi a quelque chose à apporter à cet homme. Elle l'espère : sa tendresse et sa capacité de comprendre l'autre lui feront du bien, le libéreront, le rendront plus heureux, plus humain. Les espérances justifiées qu'ils projettent ainsi l'un sur l'autre semblent parfaitement justes et raisonnables, si bien qu'ils décident rapidement de se marier. Mais il ne faut pas beaucoup de temps pour que l'avantage apparemment commun se retourne en amère désillusion, même s'il faut habituellement des années pour que se révèle dans toute son ampleur la tragédie dans laquelle ils se trouvent engagés.

Une vision différente de la sexualité.

Il est fréquent que le fiasco d'un couple de ce genre se manifeste dès la première nuit d'amour, que celle-ci prenne place avant ou dans le mariage. Pour la femme dépressive, la sexualité signifie fondamentalement autre chose que pour son époux : ce qui compte, c'est avant tout d'échanger, de parler, d'expérimenter un sentiment de protection parfaite ; le plus important, c'est déjà le simple fait d'être couché près de l'autre, de se serrer contre lui ; s'ajoute alors à cela le désir de se donner à l'autre et de satisfaire sans réserve ses attentes. C'est pourquoi nombre de femmes dépressives ont énormément de mal à atteindre l'orgasme ; elles ne peuvent tout au plus se le permettre que quand leur partenaire a déjà trouvé sa satisfaction, et même alors les difficultés restent encore grandes. Car, dans son obsession, le mari ne perçoit la vie sexuelle que comme une prestation à remplir, donc comme un travail à accomplir dans un certain laps de temps. Ce en quoi sa compagne le fascine, c'est justement sa soumission, laquelle flatte avantageusement son désir de domination et de supériorité. Or, c'est précisément cette disponibilité de l'autre en matière de sexualité qui le conduit à désespérer. Car sa femme n'est pas encore arrivée à l'orgasme que lui, il doit bien se l'avouer, doit de quelque façon renoncer. Il est alors tenté de chercher la solution du problème en multipliant les efforts physiques et en faisant appel à toutes les techniques érotiques possibles. Mais son mécontentement et sa volonté d'accélérer les choses ne font qu'irriter davantage son épouse ; elle a le sentiment que son mari lui en veut, et elle en est effrayée au point d'en être paralysée. Déçu, fatigué, le mari obsessionnel en arrive à lui reprocher de se comporter comme un sac de son et de ne pas se montrer « collaboratrice », sans rien ajouter, une fois ce reproche formulé. Il pense qu'à l'avenir sa femme devrait bien se donner un peu plus de mal et que, pour sa part, il n'est en rien coupable de cet échec. C'est à la femme d'avoir honte et de se sentir diminuée.

Elle a d'autant plus cette impression que, pour un névrosé obsessionnel, la sexualité a en plus un caractère latent d'impureté, ce qui le conduit à quitter son épouse pour satisfaire aux prescriptions de pureté conjugale du prophète Mahomet. Pendant ce temps, la femme reste couchée, seule, complètement perdue ; elle, la toute nouvelle épousée, se sent fondamentalement coupable, impuissante, abandonnée ; elle a tout donné mais n'a rien reçu. Et on a déjà l'esquisse de toute la tragédie à venir. Par résignation, et dans son désir de se débarrasser de tout cela, une telle femme en arrive fréquemment à jouer tous les comportements d'excitation que peut souhaiter son mari, alors qu'elle se sent de plus en plus incomprise et seule, privée d'amour et de tendresse, et surtout incapable de s'exprimer de quelque façon que ce soit. L'époux, en revanche, fait facilement semblant de se satisfaire des manœuvres trompeuses de sa femme, car il tient avant tout à voir son mariage continuer à fonctionner sans heurts. Certes, à la longue il lui sera peut-être impossible de continuer à ignorer complètement la frustration de sa femme quand, le devoir conjugal accompli, elle le voit prendre un journal technique ou le catalogue de vente par correspondance pour étudier les derniers prix d'une chaîne stéréo ; il flaire son attente passive, facile à lire sur ses traits tirés et sur sa grimace désespérée ; et c'est alors qu'il lui reproche ses prétentions exorbitantes et sa perpétuelle insatisfaction : il a pourtant fait tout ce qu'il pouvait ; il a simplement une épouse qui lui en demande plus qu'il ne veut ou ne peut lui donner.

Si nous avons choisi de partir de cette *incompréhension* sur le plan de la *vie sexuelle*, c'est parce que c'est bien souvent là que les deux époux éprouvent pour la première fois vraiment, et en tout cas de la manière la plus révélatrice, tout ce qui les sépare, avec tous les conflits qui sont déjà en germe. De plus, ce petit chapitre de la vie conjugale permet dès à présent de déceler clairement le schéma qui sous-tend tout le mariage, ce sur quoi il doit nécessairement se briser : de son point de vue, l'obessionnel se trouve totalement dans son droit, donc la dépressive dans son tort. Le premier partenaire a l'apparence du zèle et de l'activité, le second de la passivité et de l'inertie ; le mari se persuade qu'il a parfaitement rempli son devoir, tandis que la femme passe pour indéchiffrable, nulle, immodérée dans ses exigences.

L'incapacité d'exprimer un souhait : rationalisation et lecture de pensée.

Ce qui complique et dramatise encore à l'extrême le conflit entre les deux époux, c'est le caractère à la fois similaire et tragiquement complémentaire de leur incapacité à s'exprimer mutuellement leurs attentes.

En raison de son blocage oral, la dépressive est hors d'état de vivre ses propres élans ou, quand elle les éprouve, de les faire valoir devant les autres. Elle nourrit donc l'espoir que l'autre sera capable de comprendre tout seul la situation, de percevoir ses besoins et son attente. À ses yeux, cette espérance lui confère en conséquence un droit ; elle-même n'est-elle pas totalement prête à lire les désirs de l'autre dans ses yeux, avant même que cet autre ait lui-même pris conscience de ce qui lui manque ? Subjectivement, cette dépressive vit donc continuellement dans l'attente de voir en retour l'autre venir au-devant d'elle et la récompenser, en faisant preuve de la même attention et de la même délicatesse que celle dont elle fait montre à son égard ; et quand ce n'est pas le cas, ce qui est habituel, elle se sent dévaluée, méprisée ; elle en est profondément déçue, et elle sent monter en elle le sentiment qu'on l'exploite sans fin, qu'on ne cesse de la renvoyer au coin. C'est pourtant le sort auquel elle est condamnée, dès lors que son partenaire est un névrosé obsessionnel.

Car, étant donné la structure de son caractère, celui-ci est absolument incapable de s'imaginer que son épouse puisse éprouver un désir de rencontre personnelle et d'échange auquel il pourrait ou devrait même répondre. Lui-même n'éprouve rien de ce genre. Il n'a cessé de rationaliser ses propres désirs en les transformant en droits et en exigences à satisfaire inconditionnellement. Il ne peut donc absolument pas saisir les besoins sous-jacents à la façon dont son épouse prévient ses désirs, donc l'attente qui est la sienne de se voir enfin appréciée et reconnue : il ne les enregistre même pas ; il serait extrêmement étonné d'apprendre qu'il faut accorder de l'importance à des « détails » du genre bouquet de fleurs, rideaux propres, travaux manuels ; et s'il entend sa femme mettre en avant ses soucis de ménage, il lui répond avec étonnement que c'est son problème et que quant à lui cela lui est absolument égal, il ne demande que la paix, il en a assez de ces éternelles palabres du soir, parfaitement vaines, etc., toutes expressions qui ne font évidemment que vexer et blesser sa femme dépressive, sans pour autant lui donner de comprendre ce qu'il est en train de faire. Lui-même pense au contraire être raisonnable, économe, presque sans besoins, bref, homme de devoir.

Ses « souhaits », tels qu'il les exprime vraiment, ont cependant pour caractère d'être des ordres, presque des lois objectives dictées par la raison en soi. Ce genre de névrosé se donne tout le mal possible pour éviter toute apparence donnant à penser qu'il se laisserait guider par son caprice, son humeur ou son goût. Lui, qui doit sans cesse se discipliner pour faire face à son angoisse du chaos et de la confusion intérieure, ne saurait s'autoriser que ce qui s'impose pour des raisons sérieuses, parce que c'est juste, sensé, religieux, moral, que l'économie ou la politique doivent aller ainsi, puisque les autorités compétentes l'ont dit, etc. C'est pour cela qu'il faut répartir de telle façon, et non d'une autre, le budget familial, les menus de la semaine, le choix du lieu de vacances, l'achat des vêtements d'hiver : bref, il n'a fondamentalement pas d'autre souhait que d'obéir aux lois de la raison. Il ne cesse autrement dit d'exercer un chantage sur son entourage en l'obligeant à plier sous sa volonté, ou, dans sa perspective, à obéir aux exigences objectives de l'ordre rationnel. Le contredire n'est — ou ne serait — possible qu'à partir d'arguments supérieurs. Mais une discussion avec ce type d'homme n'a que l'apparence d'un échange rationnel ; en réalité, c'est un combat à la vie ou à la mort pour savoir qui a raison, qui peut imposer sa volonté. Les « arguments » ne sont que des armes pour dominer. Celui qui compte sur des preuves pour mener cette guerre d'usure se trouve déjà *de facto* dans une position désespérée.

Devant la prétention de ce type de névrosé à la supériorité rationnelle, impossible de s'affirmer, sinon en remettant en cause, non pas en détail, mais en totalité, son système de raisonnement et de ratiocination. Mais cela ne revient à rien moins qu'à entrer en lutte avec la totalité de sa personne et à lui faire découvrir que ses idées ne sont que les substituts de ses sentiments et de ses affects refoulés : entreprise sans espoir. Car ce qu'il faudrait, c'est justement ce dont une personne déprimée est le moins capable : l'intelligence froide et ironique d'un schizoïde. Or, la déprimée est au contraire toujours prête à s'adapter, à se reprocher à elle-même d'être trop bête pour pouvoir comprendre ce que l'autre lui jette à la figure ; si elle ne saisit pas immédiatement la sagesse évidente des exposés de l'autre, la faute en est évidemment à l'insuffisance de son éducation, à sa faiblesse personnelle et à son indigence intellectuelle ! Vivant en outre constamment dans la crainte de dérailler et de devenir idiote, son contact permanent avec un névrosé obsessionnel ne fait qu'amener de l'eau au moulin de son propre renoncement à soi-même et de son sentiment d'infériorité.

Des ordres qui sont des reproches.

La façon de parler du névrosé obsessionnel suffit à elle seule, et sans aucune intention consciente de sa part, à déclencher chez une personne dépressive un sentiment de culpabilité. Il ne dira jamais : « ce matin, j'aimerais bien que tu me cuises un œuf pour mon petit déjeuner » ou « tu serais gentille si tu pouvais me porter cette lettre à la poste » ; il ne formule ses désirs rentrés qu'en formules abstraites où l'autre ne saurait voir que des reproches camouflés : « on doit », « on aurait dû ». « On connaît la fadeur des petits déjeuners allemands. Pourquoi les Allemands ont-ils si peu de jugeote qu'ils se contentent de pain gris ! »... et l'épouse dépressive aura fort justement compris que ces remarques la concernent, qu'elle est « l'Allemande — sans jugeote » ; et, se sentant coupable, elle se reproche sa carence, alors que, dans des circonstances « normales », elle n'aurait vu là que mouvement d'humeur de son mari ou son simple désir de goûter d'une autre sorte de pain. Pour elle, « cette lettre doit partir aujourd'hui » ne signifie pas : « sois assez gentille pour me la poster », mais : « pourquoi n'as-tu pas encore porté cette lettre à la poste ? », etc.

Notons que ces injures verbales inconscientes et ces attitudes pontifiantes touchent quelqu'un qui n'a cessé toute sa vie de chercher désespérément à éviter le plus possible d'être à charge aux autres ou de les chagriner. La dépressive perçoit cette mauvaise volonté de son partenaire comme une condamnation à mort. De voir ainsi la personne la plus importante pour elle la laisser tomber et filer la renvoie au temps de son enfance. Il suffit de l'ombre d'un découragement chez l'autre pour déclencher en elle une panique d'abandon et de solitude, et, dans ces circonstances, on doit un instant s'imaginer l'effet dévastateur des injonctions d'un névrosé obsessionnel. Elle-même ne cesse de se reprocher son manque de clairvoyance et de perspicacité pour déchiffrer les souhaits des autres. Or, voici qu'elle a maintenant affaire à un partenaire qui l'oblige à constater à quel point elle est intellectuellement limitée, puisqu'elle se montre ainsi incapable de voir toute seule ce qui convient à l'autre. Elle supplie alors désespérément son époux ou son amant de lui dire enfin ce qu'elle doit penser et faire ; et le conflit prend alors des proportions plus terribles encore.

Indépendance contre don de soi.

L'obsessionnel, toujours tendu vers un devoir à remplir avec zèle, ponctualité et perfection, ne saurait remarquer que son comportement se conforme à des standards et à des préjugés étrangers à sa pensée, simples poncifs de son surmoi rigide. Quand il se regarde, il se perçoit subjectivement comme une personnalité vraiment libre, comme un moi fort qui a appris à ne jamais renoncer à accomplir sa tâche. Il voit alors dans sa partenaire dépressive son extrême opposé : sans aucun sens du devoir, elle se pend à lui, le bombarde de questions ; elle est profondément infantile, bête, manifestement immature. Pendant quelque temps, il a pu se sentir secrètement flatté de la façon dont sa femme s'appuyait sur lui et lui demandait son aide. Mais vient tôt ou tard le moment où toutes ces simagrées lui paraissent ridicules et pesantes. « Dans la vie, il faut être indépendant, comme un grand » : telle est la devise qu'il répète avec une colère croissante, et le jour n'est pas loin où il reprochera à la dépressive de n'être qu'un vampire, une importune insatiable. Et ce reproche, qu'il articule maintenant clairement et en pleine conscience, vient toucher exactement le point le plus douloureux de la dépressive : son angoisse d'être trop exigeante ou d'exagérer ; ce qu'elle voudrait éviter à tout prix, c'est justement ce qu'elle s'entend répéter toute la journée par son mari, à peine fermée la radio donnant les nouvelles du matin.

La dépressive est incapable de se rendre compte d'elle-même que son désir de bien faire et de se tourner constamment vers lui finit par traduire une telle dépendance qu'elle en devient nécessairement agaçante, pénible et lassante. Pour devenir indépendante, elle devrait en réalité faire montre de beaucoup plus de liberté, de prétentions et de désirs qu'elle ne peut se permettre à la maison et que ne saurait le supporter son mari, lui, le radin méticuleux au cœur sec. Or, voici que celui-ci, tout lui en serinant sans cesse qu'elle devrait être plus libre et plus indépendante, ne cesse de lui tenir des propos cinglants, ce qui provoque l'effet contraire. Ses paroles ne font que détruire en elle le peu d'estime et de confiance en soi qui lui restaient encore au moment de son mariage. La douloureuse érosion de son moi reprend son cours sans que l'obsédé se rende compte le moins du monde de ce qu'il fait et sans que la dépressive ait la moindre possibilité de se défendre ; elle en vient au contraire à perdre de plus en plus confiance en ses capacités psychiques, et même physiques ; elle se considère elle-même de plus en plus comme une femme mauvaise, bonne à rien, et elle finit par s'enfermer dans une espèce de jeûne et d'abstinence perpétuelle.

Commence alors pour la dépressive le temps du mur des lamentations, et pour l'obsessionnel celui du roi Nabuchodonosor. Se sentant subjectivement dans son droit, la dépressive supplie son époux de l'écouter pour une fois gentiment, ne serait-ce que quelques minutes, ou de la prendre simplement dans ses bras, de lui dire au moins un mot aimable. Mais l'obsédé n'entend à nouveau ces plaintes que comme une attaque contre la perfection avec laquelle il remplit son devoir ; et puisque, pour lui, il n'est de pire torture que de devoir s'avouer ou avouer à un autre la moindre faille — il doit tout faire, avoir tout fait à la perfection —, les gémissements sans fin et toujours en crescendo de sa femme ne sont pour lui que les signes de sa dépendance et de son chantage. « Tu n'as pas le droit de me faire des reproches », clame-t-il désormais. « Je ne tolérerai plus ce chantage » ; ou : « Tu pourrais crever que je ne marcherais pas ». Il en arrive à se comporter comme un plongeur sous-marin en lutte avec une pieuvre : pour échapper aux tentatives de son épouse de le saigner à blanc, il doit trancher, sabrer brutalement tous ses tentacules : il veut la paix. Mais il ne voit pas que le seul moyen de l'obtenir, ce serait de prendre la direction que tout lui interdit ; s'il voulait vraiment promouvoir l'indépendance de son épouse, il lui faudrait en accepter à la lettre les plaintes et faire ce qu'elle lui demande.

Il suffirait effectivement de quelques mots d'encouragement et de reconnaissance, d'une simple félicitation, pour opérer en elle un miracle. Car ce serait vraiment le miracle dans la vie de la dépressive si seulement on la prenait un instant au sérieux, si on la considérait comme importante, utile, précieuse, irremplaçable même. Un mot de louange, une marque d'attention seraient pour elle aussi important qu'une averse dans le désert ; mais c'est ce dont son partenaire est le plus incapable, étant donné la nature de son caractère. Pour lui, le « bien » est normal, et le « très bien » ne mérite tout au plus qu'une piécette ; dans son univers perfectionniste, il n'y a de notable que le vingt sur vingt. Quand quelque chose n'est pas parfait, c'est zéro. Si la dépressive était en état de comprendre l'obsessionnel, elle saurait que de la part d'une personne de ce genre, il n'y a pas de plus grande louange que l'absence de reproche sur une longue période de temps, sur des années peut-être ; mais elle a déjà un mal infini à croire en la sincérité des félicitations, même si on les lui exprime souvent, tant elle est encline à constamment soupçonner en tout signe de reconnaissance explicite un piège déguisé, ou même un blâme camouflé avec art ; à plus forte raison lui est-il impossible de croire que le fait de ne pas la blâmer puisse constituer une louange ! Elle ne l'éprouve que comme manifestation de mépris, d'humiliation, et cela pas tout à fait à tort.

Sans félicitations, c'est l'effondrement total.

Car ce n'est pas seulement son désir de perfection qui rend difficile à l'obsessionnel de percevoir en général l'importance que pourraient prendre des félicitations ; ce qui l'empêche plus encore d'admettre la valeur d'un de ses proches, c'est sa vision du rendement et de la concurrence. Inconsciemment, il éprouve un besoin incoercible d'humilier les autres en se faisant valoir comme l'unique, comme le meilleur. Quand il condescend à une louange, ce n'est le plus souvent qu'à propos d'un détail sans rapport avec le domaine où il risquerait de sentir sa supériorité menacée ; ce qui est encore une manière indirecte de faire de ses félicitations une façon de mépriser celui qui attribue de l'importance à se voir féliciter pour des futilités. La dépressive perçoit parfaitement qu'elle n'a à conférer aucune valeur à cette distribution parcimonieuse de louanges. À la longue, devant l'indifférence et le désintérêt de son époux à son égard, elle sent gonfler en elle un torrent de doutes sur sa propre valeur et elle en arrive à se mépriser : ses efforts, son travail n'ont absolument aucun sens. Si elle commence à se plaindre que tout est vain, qu'elle ne sait rien faire et qu'elle ne sert à rien, elle découvre vite que son partenaire en a maintenant par-dessus la tête et qu'il éprouve la tentation pressante de lui redonner le sentiment de sa valeur à coup de canne : il a de plus en plus de mal à contenir son sadisme latent ; sous l'empire de sa frustration et de son désarroi, son désir originel d'aider son épouse se transforme de plus en plus en colère et en fureur. Il ressent comme purement et simplement honteux qu'un homme comme lui, qui se consacre du matin au soir, et avec succès, à des activités importantes, qui se tue à la tâche, ait encore le soir à faire régulièrement face à ces larmoiements et à ces plaintes, et bien entendu pour des futilités : cela l'épuise nerveusement et il fait savoir de plus en plus haut que désormais il ne se laissera plus maltraiter de la sorte.

Commence alors le temps où la dépressive ne fait plus que se traîner désespérément à la suite de l'obsessionnel, comme un chien battu derrière son maître. Elle est incapable de traduire en mots ses désirs et lui, dans son souci d'éducation, se charge d'ailleurs vite de les barrer avant qu'elle ne « recommence son cinéma ». Mais le « cinéma » ne cesse jamais. Il ne pourrait prendre fin que si la dépressive sentait renaître en elle un semblant de sentiment de sa valeur. Mais d'où cela viendrait-il ? La guerre conjugale — car c'est bien de cela qu'il s'agit désormais — dégénère en escarmouches parfaitement ridicules aux yeux d'un observateur extérieur.

Une façon différente
de percevoir le temps.

La notion *du temps* de la dépressive est totalement différente de celle de l'obsessionnel, et cela seul suffirait à provoquer les divergences les plus néfastes.

Il faut faire une visite. La dépressive n'a semble-t-il accepté l'invitation que par incapacité de dire non, peut-être aussi avec l'espoir de pouvoir trouver chez un tiers la compréhension dont elle a tant besoin et que son partenaire lui refuse durement. Pour sa part, son mari considère cette visite comme une perte de temps, inutile et ennuyeuse ; mais, dans son souci d'exactitude et de précision, il tient à être ponctuel au rendez-vous. Pendant ce temps, la dépressive vit « hors du temps » ; elle ne fait aucun plan et se soumet aux exigences du moment, car elle est incapable de croire que son monde, toujours menacé, sera encore là demain ; elle n'a aucune notion du temps qui concorderait avec la montre ou le calendrier. Or, voici soudain que le rendez-vous fixé fait irruption dans sa vie, la prenant totalement au dépourvu. C'est bien le moment où elle pourrait se faire passer pour maîtresse en improvisation, tant elle est capable d'adaptation. Mais il lui faut d'abord subir les reproches de son époux : comment peut-on être assez bête et assez brouillonne pour en arriver à oublier sa propre invitation ! Il n'est alors pas rare de se trouver devant ce curieux spectacle que c'est finalement l'obsessionnel qui n'est pas à l'heure, en dépit de l'exactitude d'un planning peaufiné à la perfection, tant est grande sa faim de sécurité : il a refait dix fois son nœud de cravate sans réussir à le mettre droit, la fenêtre des toilettes n'est pas encore fermée, on n'a pas encore ôté la prise de télévision, etc. Entre-temps, l'épouse dépressive attend impatiemment l'apparition de son mari, râlant intérieurement et fort justement parce qu'elle doit constater que, pour son mari, l'important, ce ne sont pas les gens, mais l'ordre.

Autre exemple, celui d'une promenade apparemment sans problème, un dimanche après-midi. Pour la dépressive, c'est une occasion fort agréable de pouvoir enfin parler tranquillement entre soi, ou si cela ne semble déjà plus possible, de dialoguer au moins un peu avec les fleurs et les oiseaux ; elle souhaiterait donc qu'on s'arrête regarder cette sittelle cherchant sa nourriture, ou un peu plus loin ce champignon qu'on appelle bâton d'Aaron ou bâton du diable. Mais, pour l'obsessionnel, rien à faire. Pour lui, cette sortie ne signifie rien d'autre qu'une occasion bienvenue de régénérer sa capacité de prouesses, de respirer l'air, de faire jouer ses muscles ; bref, c'est une façon de se mettre en forme. Il y a belle lurette qu'il n'est plus question de promenade commune : il ne voit donc plus dans sa femme que celle qui l'empêche d'avancer, avec sa manie de tout vouloir voir, tandis que la dépressive pense que c'est par pure méchanceté que son mari ne lui permet ni vacances ni repos. On voit se répéter le drame du maître et de son chien.

Des effets différents de la maladie et de la mort.

La notion du temps différente entraîne une vision de la maladie et de la mort différente elle aussi.

De la mort, le névrosé obsessionnel ressent sans cesse la menace. Son sadisme et la fragilité de son désir de perfection la lui rappellent sans cesse, et il ne cesse donc jamais de la combattre, en cherchant constamment à maintenir son rendement. Il rêve d'accomplir quelque chose de grandiose qui aurait enfin un parfum d'éternité, et la pensée de devoir mourir lui donne le sentiment du vide et du néant des valeurs. La maladie lui semble donc un scandale : il la voit à la façon d'un adversaire, d'un rapace qu'il lui faut absolument abattre. A-t-il une simple toux ou un rhume ? La maison tremble de ses expectorations. Se sent-il indisposé ? Cela l'agace, et il en devient insupportable, malade toujours insatisfait. La dépressive au contraire ne se contente pas de compter sur la mort ; elle l'attend sans cesse, en la voyant presque comme la punition méritée par une existence nulle et sans intérêt. Elle accepte aussi aisément la maladie qu'un animal dans la forêt, et il n'est pas rare de la voir la souhaiter, avec l'idée de pouvoir ainsi dérober quelques marques d'attention et de compassion. À l'extrême, un couple de névrosés aussi antithétiques peut en arriver à ce que la femme passe son temps au lit tandis que l'époux, furieux, veut la contraindre à la santé perpétuelle, jusqu'à ce qu'une prescription médicale vienne provisoirement le libérer de son dilemme. Se sentant continuellement frustrée en amour, la dépressive peut en arriver à chercher des compensations orales (sucreries, alcool, etc.) aux dépens de sa ligne, de la beauté de son visage, de sa circulation sanguine, ce qui peut encore faire monter d'un cran le mépris et le dégoût de son ascète de mari.

Ajoutons que la dépressive ressent elle-même et sent constament le monde comme un tout ; toute peine psychique a des répercussions psychosomatiques immédiates, en particulier au niveau du transit digestif. L'obsessionnel, en revanche, se comporte vis-à-vis de son corps comme un chauffeur avec son auto : il s'en sert comme d'un véhicule qui lui reste extérieur. Il est donc incapable de manifester le moindre symptôme de conversion, et quand il souffre soudain de troubles fonctionnels, seul un tour d'adresse psychologique est capable de lui faire entrevoir que ses maladies pourraient avoir des origines psychiques. Le « psychique », pour lui, c'est l'entendement et la volonté, et trouble psychique ne signifie donc que faiblesse inconvenante. C'est précisément le jugement qu'il profère à l'égard des « petit maux » de son épouse dépressive. De fait, la crainte perpétuelle des catastrophes dans laquelle elle vit la conduit à toujours diagnostiquer le pire pour elle-même : un vague mal à l'estomac, au ventre ou à la poitrine, c'est sûrement un cancer. Pour son partenaire, de telles interprétations sont bien la preuve définitive que son épouse simule, veut le faire chanter et manque totalement de bonne volonté. Bref, on peut s'attendre une fois encore à ce que chacun des deux époux soit le moins prêt à comprendre l'autre au moment précis où il en aurait le plus besoin.

Le bilan d'une destruction réciproque.

Étant donné le caractère tragique de cette constante incompréhension, comment un tel couple pourrait-il tenir ? Il faut bien se poser la question, car il n'est pas de circonstance importante de la vie commune où ne se reforme le même cercle vicieux de tortures réciproques s'enchaînant et se renforçant les unes les autres. Si, au bout de quelques années de ce drame conjugal, chacun avait à décrire sa vision de lui-même, on en arriverait à quelque chose du genre suivant :

L'obsessionnel(le) se perçoit :	*Le(a) dépressif(ve) se perçoit :*
intelligent(e)	bête
raisonnable	« trop émotif(ve) »
dans son droit	dans son tort
travailleur(se)	incapable
sur la pente montante	sur la pente descendante
ordonné(e)	désordonné(e)
maître(sse) de soi	sans contrôle de soi
précis(e)	chaotique
de caractère solide	faible
économe	excessif(ve)
autonome	sans repère fixe
indépendant(e)	dépendant(e)
discipliné(e)	perdu(e)

Au total, on a devant soi un syndrome d'accomplissement sadomasochiste. C'est le sentiment que les deux partenaires commencent à traduire lorsque le premier traite l'autre de vampire et de souillon, et que la dépressive lui répond en le traitant de réfrigérateur et de brute sadique.

Or, ce ne sont ni le plaisir de se torturer l'un l'autre ni la perversion qui enchaînent ces deux époux l'un à l'autre. Ce qui les soude ainsi, c'est leur volonté absolue de fidélité. Sans doute ce que chacun d'eux comprend sous ce mot diffère-t-il complètement de ce qu'y met l'autre. Ce qui prouve définitivement le peu d'utilité, sinon la nocivité, de l'appel moralisant au devoir de se rester purement et simplement fidèle.

Fidèle jusqu'à la victoire finale : ou à la recherche d'un alibi.

Ainsi donc, le névrosé obsessionnel voit son mariage comme un devoir à remplir, une mission à mener à bien. S'avouer le fiasco de son couple, ce serait déchoir. Il ne peut donc qu'ignorer la raison de son échec ; car la raison fondamentale de celui-ci, la réduction de toutes ses relations interpersonnelles à des rapports de droit, de propriété, de concurrence impitoyable ne peut que lui rester cachée. En ce qui le concerne, il a l'impression d'avoir fait tout ce qui était humainement pensable et possible ; dans sa perspective, la cause du ratage est donc entièrement à charge de son épouse. Pour ne pas apparaître comme le perdant aux yeux des autres, il va mettre tout son poids moral — et parfois physique — dans la balance, pour que sa femme finisse enfin par progresser en se reprenant, en se montrant enfin raisonnable, adulte, bref en devenant ce qu'elle *doit* être. L'espoir désespéré d'atteindre enfin ce but longtemps tenu pour impossible, la progression de son épouse dépressive, finit par le conduire à l'idée fixe de maintenir à tout prix leur couple, en réalité disloqué. Fidélité ! C'est le mot d'ordre par lequel le névrosé obsessionnel s'affirme aux dépens de sa femme : programme narcissique d'un surmoi effrayant, dont Église et société, avec leur vision de la morale et du droit, s'empressent de tirer le parti maximum.

Mais la dépressive aussi s'accroche autant qu'elle le peut à l'espoir de voir son mariage durer, sans doute à la façon d'un noyé qui se débat encore, mais plus encore parce qu'elle se sent coupable à l'égard de son partenaire et qu'elle désire plus que tout le voir lui pardonner et se réconcilier avec elle. Elle veut tout au moins éviter à n'importe quel prix de se séparer de lui sur une dispute. Paradoxalement, elle pourrait briser ce lien qui lui est particulièrement nocif si elle cessait d'entendre dans son dos les reproches de son partenaire. Ne serait-ce que pour les éviter, elle continue donc à s'accrocher à son couple, adoptant la stratégie des Russes pendant la guerre : céder du terrain, reculer, jusqu'au moment où l'adversaire sera forcé à la capitulation, ici à la confession de sa part de culpabilité, ce qui, pour la dépressive, signifierait sa réhabilitation. Elle n'attend rien d'autre que cette parole libératrice venant la sauver de son péché mortel.

Ainsi, tragiquement, aussi bien la dépressive que l'obsessionnel, chacun à sa manière, se voient obligés de maintenir ce lien conjugal qui rend leur relation si dramatique et qui les conduit jour après jour à une guerre d'usure sans issue. Du côté de l'épouse, il s'agit de faire preuve de patience et de ténacité, de céder autant de terrain qu'il en faudra — au bout de vingt ans de chicanes continuelles, elle serait encore prête à aller à pied au pôle Nord pour obtenir de son partenaire un mot de reconnaissance et l'aveu qu'elle lui est utile. Mais cette stratégie du recul, celle qui consiste en de nouvelles démonstrations d'amour toujours suivies de rebuffades humiliantes, épuise ses forces. Les périodes où elle ne peut plus faire face s'allongent. Pendant ce temps, l'obsessionnel trouve lui aussi que les exigences et les charges liées au caractère supposé indécrottable de sa femme ne cessent de croître au point de devenir insupportables ; pourtant, tout comme l'autre, lui aussi a besoin d'un alibi avant de pouvoir admettre de rompre son mariage. Fondamentalement, s'ils s'accrochent à leur union, ce n'est ni par raison ni par réalisme, mais par rigidité. Leur « fidélité » n'est pas le produit de leur moi, mais tous deux se trouvent soumis à l'impitoyable dictature de leur surmoi. Le névrosé obsessionnel se refuse à renoncer, sinon il se sent moralement fini ; pour la dépressive, il en va d'une faute qui retomberait entièrement sur elle : c'est sa vie qui est en jeu dans ce combat où elle doit vaincre son partenaire en le contraignant au moins à adoucir son jugement : de « totalement coupable » elle deviendrait « coupable avec circonstances atténuantes ». Le mari doit tenir à son mariage pour ne pas succomber à la faute qui lui vaudrait la condamnation de son surmoi, et la femme n'y tient pas moins pour pouvoir faire appel de la condamnation à mort déjà proférée depuis longtemps par son propre surmoi : elle voudrait au moins pouvoir se dire qu'il n'y a rien, absolument rien qu'elle n'ait tenté pour donner une dernière chance de survie à son couple en pleine débâcle. Finalement, leur « fidélité » réciproque ne repose que sur l'illusion de pouvoir encore changer l'autre. Mais, ce faisant, ils voient de mieux en mieux que ce qu'ils se reprochent à tour de rôle, ce ne sont plus seulement quelques traits de caractère isolés, mais bien la totalité de leur personne. Leur tragédie consiste en ce que ce qui les conduit à se dresser l'un contre l'autre, ce n'est pas une quelconque faute morale qu'il serait possible d'éviter, mais une incompatibilité de caractère telle que ce qu'il y a de plus précieux dans la façon d'être de l'un fait le malheur de l'autre.

S'il fallait résumer en une courte formule la nature du névrosé obsessionnel, on pourrait dire qu'elle consiste en un perpétuel effort pour se débarrasser d'un sentiment d'infériorité par le *faire* et l'*avoir* ; or, c'est précisément cette prétention d'avoir et de pouvoir qui choque et blesse la dépressive : par son zèle il lui fait bien voir sa propre incapacité, à elle ; par sa ladrerie il lui manifeste combien elle n'a aucun droit à prétendre à rien ; lorsque lui en appelle au caractère objectif de ses exigences, cela ne fait que mettre en valeur sa bêtise, à elle. À l'inverse, la dépressive répond à son sentiment profond de n'être rien par son désir de s'accrocher à son partenaire, et d'*être* ainsi comme lui. Le désir d'avoir qui l'habite, lui, lui paraît à elle vide et superficiel, car c'est à un stade bien antérieur qu'elle-même se sent mise en question : ce n'est pas ce qu'elle fait, mais le simple fait d'être, qui lui semble problématique ; et c'est pourquoi elle cherche à s'identifier à l'autre, à ses désirs, à ses besoins, afin de devenir elle-même quelqu'un par l'intermédiaire de l'autre ; se sentant nulle, ce n'est que par la position de l'autre, et en fonction de son échelle de valeurs, qu'elle peut acquérir un peu de valeur et de signification. Mais c'est cela qui la fait apparaître redoutable aux yeux de l'autre : la profondeur de ses sentiments, leur chaleur, sa capacité de se donner et de se sacrifier, sa bonté et son ouverture à l'autre se transforment pour l'autre en menace, car lui-même ne peut et ne veut pas être ainsi ; il ne lui reste plus alors qu'une méthode très superficielle pour parer à l'angoisse éprouvée devant son épouse : *faire*, agir, organiser.

Il n'est souvent d'autre issue, et en tout cas pas de plus simple, pour mettre fin à cette danse de scorpions, que lorsque l'un des deux combattants se trouve soudain en faute flagrante vis-à-vis de l'autre. La dépressive, épuisée, peut sombrer dans une crise d'alcoolisme, ou dans son désespoir, faire des connaissances dans la rue, ce qui donnera enfin à l'obsessionnel un bon prétexte pour condamner son épouse perdue ; ou la déprimée découvre une preuve indubitable que son mari mène une double vie ; justifiée par son surmoi, elle peut alors mettre un terme au mariage, bien que naturellement le partenaire insiste sur le fait que son écart sexuel n'est que la conséquence de sa frustration, et que c'est donc de la faute de sa femme. Il est évident que la permission de divorcer que vient fournir la chute de l'autre est encore loin de marquer la fin de la tragédie. Dans sa relation à l'autre, aucun des deux partenaires n'a encore appris à vivre vraiment, et aucun d'eux ne sait donc bien ce qui peut et ce qui doit se passer. C'est bien là que réside l'ultime chance : une psychothérapie.

La limite du champ de la psychothérapie dans le couple.

Jusqu'à présent, nous n'avons pas discuté de la possibilité d'une intervention psychothérapique dans le dilemme présenté par le couple dépressif-obsessionnel. Il n'en était nul besoin d'ailleurs, car l'innocence subjective de l'obsessionnel et sa passion pour la fonctionnalité rendent hautement invraisemblable un simple échange entre les deux époux sur le problème de leur couple. En fait, c'est habituellement le partenaire dépressif qui se range à l'idée d'une psychothérapie ; et la seule chose qu'on puisse alors faire pour lui, c'est de l'accueillir comme un assoiffé, avec toute la bonne volonté et la bonté possibles, de façon à lui redonner confiance en son utilité et en sa capacité de rendre service : oui, il est digne d'amour, et il possède donc un droit parfaitement légitime à se faire une idée positive de soi. En ce sens, toute progression du traitement ne peut que se heurter à la résistance de l'autre, de telle sorte que, finalement, la personne dépressive, retrouvant peu à peu la force de son moi, sera enfin capable de cesser de se considérer toujours comme la seule coupable, et, au début en hésitant, puis sous forme de reproches de plus en plus violents, de se décharger au moins de la moitié de la faute sur son partenaire. À partir de ce moment, les dernières raisons de continuer à vivre ensemble s'effondrent. Il est manifeste que la personne dépressive pourrait trouver chez n'importe quelle autre personne plus de compassion et de compréhension que chez un conjoint comme le sien, et l'important sera désormais de réapprendre pour elle-même ce que celui-ci avait le plus détruit : sa capacité d'agir, de faire des plans, de mener sa vie, d'être.

L'obsessionnel, en revanche, ne vient en général consulter que lorsque le couple ne peut plus être sauvé. On peut alors encore lui montrer le caractère inhumain et rigide des principes auxquels il s'est jusque-là accroché. Il devrait et pourrait apprendre ce qu'il s'est montré incapable de découvrir à travers son partenaire dépressif : qu'il existe des réalités telles que la liberté, le jeu, les désirs, l'action gratuite dans une vie simple, tout ce que l'autre cherchait sous sa protection. Mais, pour cela, il lui faudrait faire montre d'un certain sens de sa culpabilité, percevoir sa violence, chose rarement possible dans le cas d'un névrosé caractériel à l'état pur.

En ce qui concerne les perspectives d'avenir, on ne peut qu'encourager les deux époux à chercher leur bonheur dans une constellation plus favorable. Au terme de leur vie conjugale, ils sont l'un et l'autre totalement épuisés, physiquement et psychiquement. Ils sont tous deux tentés de tout laisser aller : l'obsessionnel, en se contentant désormais de « régler » sa relation sexuelle à coup d'argent et de pouvoir satisfaire ses désirs les plus primitifs ; la personne déprimée, en se laissant aller à la déchéance sociale à force de chagrin et de sentiment d'abandon. Il est en particulier extrêmement important que l'obsessionnel retrouve la confiance en sa capacité de pouvoir signifier quelque chose pour un autre partenaire, du fait de ses indéniables talents ; mais, pour que son rêve se réalise, il faudra que le nouveau conjoint soit de type hystérico-obsessionnel. Il faudra aussi à ce dernier être suffisamment attractif pour que l'obsessionnel ose le présenter comme « son » (sa) conjoint(e), mais ce nouveau venu devra également être *extérieurement* suffisamment pauvre pour éprouver comme un bienfait dont on doit être reconnaissant le bien solide que lui amène l'obsessionnel. Il serait en revanche souhaitable que la personne dépressive trouve un partenaire qui lie la sensibilité nécessaire à une capacité minimale de prendre ses distances et de se différencier psychiquement d'elle, donc de préférence un caractère mixte schizoïdodépressif. Il leur faudrait en tout cas tous les deux éviter de répéter sans réflexion le mécanisme malheureux qui avait présidé au premier choix. Pour cela, il est en général indispensable de prolonger l'accompagnement thérapeutique.

L'impasse du moralisme et la nécessité du religieux.

Les conclusions de la tragédie conjugale que nous venons de décrire sont évidentes : il existe des couples qui ne peuvent *nécessairement* déboucher que sur l'échec, en dépit, ou même en raison des efforts des époux. Mais cet échec est aussi celui de la conception du mariage selon laquelle une bonne réglementation institutionnelle et morale devrait toujours suffire à fonder la permanence du lien conjugal. Or, les exemples que nous venons de présenter ne font au contraire que souligner l'impuissance de l'institution et les conséquences négatives de l'appel à la morale. Quand deux personnes sont ainsi condamnées à l'impasse, parce que leurs efforts acharnés pour remplir leur devoir n'ont fait que renforcer leur surmoi, on doit bien en conclure à l'impossibilité de maintenir leur union, cela en dépit de la lettre de la morale et de l'institution. Il est même parfois nécessaire de se dresser *contre* les prescriptions officielles de la loi, lesquelles ne ressortent en réalité que du surmoi, et de réclamer le droit au divorce, alors même que celui-ci semble en contradiction avec la norme admise.

Cette constatation de l'échec du fondement moral du couple nous oblige à nous demander enfin ce que pourrait être l'apport spécifique de la religion à l'amour et au mariage. Il aura fallu cet effondrement de l'éthique pour s'ouvrir vraiment à la dimension proprement chrétienne du véritable amour.

Pour comprendre cette dimension, le mieux est d'en revenir à l'expérience et de voir ce qu'il peut advenir de notre couple dépressif-obsessionnel au cours de sa psychothérapie[7].

Si celle-ci réussit, l'obsessionnel, dont la vie est entièrement déterminée de l'extérieur par les lois du « tu dois », apprendra progressivement qu'il n'a pas pour seul devoir de se plier à certaines exigences parachutées de l'extérieur, mais qu'il a aussi le droit, le devoir même, d'avoir des souhaits et de satisfaire aux vœux profonds qu'il aura découverts en lui-même. Encore faut-il pour cela qu'il ait ressenti que ce qui lui vaut estime et considération, ce n'est pas tant ce qu'il fait, son rendement, que ce qu'il est par toute sa personne. Il faut que son perfectionnisme, cette idée que l'on ne peut le tolérer que s'il a vingt sur vingt, ait progressivement fait place à une vision plus humaine et plus tolérante de lui-même.

Si l'on veut traduire cela par une image biblique, il

7. E. DREWERMANN, « Sünde und Neurose. Versuch einer Synthese von Dogmatik und Psychoanalyse », dans *Münchener theologische Zeitschrift*, 31, janv. 1980, p. 24-48, repris dans *Psychanalyse et théologie morale*, trad. J.-P. Bagot, Paris. Éd. du Cerf, 1991, t. I, p. 93-130.

faudrait dire qu'il lui faut se dégager de la vision des choses que le Yahviste illustre au début de l'Ancien Testament à travers la personne de Caïn, le meurtrier de son frère. Le Yahviste nous décrit l'homme sous les traits globaux d'un exilé, banni de l'Éden, perpétuellement obsédé par l'idée que son action, son offrande, lui vaudra seule de se retrouver enfin justifié ; mais, de ce fait même, il ne peut ressentir l'autre que comme un concurrent, puisque la seule présence de celui-ci l'oblige à envisager de n'être que le second. Il faut donc se débarrasser de la menace.

C'est en commençant à saisir le caractère étroit et figé de sa vision de l'existence que l'obsessionnel peut découvrir progressivement le monde et la vie comme un don, et non plus comme quelque chose qu'il lui faudrait absolument fonder sur son agir. Veut-il apaiser son angoisse la plus pressante, et souvent la plus inconsciente, celle de n'être pas nécessaire, d'être superflu, donc de rester injustifié ? Il lui faut accéder à une position finalement fondée sur cette réalité que les théologiens appellent Dieu. Seul celui-ci peut lui permettre de se découvrir voulu : il reste contingent, certes ; mais il n'en est pas moins ratifié dès le départ, accepté et même appelé à l'existence par une volonté et un décret qui le précèdent. Finalement, c'est bien cette perspective et cette attitude, de nature éminemment religieuse — qu'on en prenne subjectivement conscience ou non — qui constitue la condition spirituelle du succès de la psychothérapie d'un obsessionnel.

De même, une bonne psychothérapie pourra permettre au dépressif de faire une expérience qu'on peut encore parfaitement traduire par une image biblique[8]. Le Yahviste décrit le péché originel en montrant comment l'homme a écouté la parole du serpent donnant à entendre que Dieu n'aurait créé le monde que pour l'interdire à sa créature. Tel est bien le sentiment du dépressif : pour lui, tout, et en particulier tout ce qu'il peut désirer oralement, tout ce qu'il pourrait ingurgiter, s'approprier, lui est interdit. Au plus profond de lui-même, il se sent coupable d'avoir à consommer, d'avoir à assimiler des choses de nécessité vitale. Rien de plus expressif que les « punitions » que, selon la Bible, Dieu aurait infligées à l'homme : elles résument magistralement la façon dont

8. Voir l'interprétation de Gn 3-4 dans *SB*, I, p. 53-110 ; 117-147 ; II, p. 203-221 ; III, p. 228-251.

le dépressif perçoit le monde et se perçoit lui-même : il a un sentiment de néant, de nudité, de vanité, d'ennui ; totalement coupable, il est livré à la mort. Une bonne psychothérapie lui permettra de découvrir que cette caricature de l'existence, cette logique de l'angoisse, cet abîme du serpent n'est pas la vérité ultime, et qu'il ne doit pas accepter d'user sa vie pour expier une supposée faute existentielle. Pour contrer l'angoisse et le sentiment de culpabilité liés à la déification d'un surmoi sadique, il doit prendre appui sur la parole de Dieu affirmant au moment de la création que le monde entier est à la disposition de l'homme et que celui-ci est appelé à le servir et à le préserver. Au lieu de succomber à son sentiment d'infériorité, il peut croire à la mission que Dieu lui a impartie et se penser utile aux autres et au monde, donc se reconnaître accepté, lui aussi.

On ne saurait évidemment attendre d'une psychothérapie un changement total de la structure caractérielle des gens. Mais si elle est réalisée dans des conditions favorables, elle est au moins susceptible de rendre la vie d'un dépressif ou d'un obsessionnel un peu moins aliénée. Et il est manifeste que tout pas en avant s'accompagne au moins implicitement d'une découverte religieuse. Certes, dans notre société, on ne saurait voir souvent un thérapeute ou un patient recourir au langage ecclésial ou théologique pour rendre compte des intuitions qui accompagnent nécessairement la guérison, et cela n'a d'ailleurs pas lieu d'être. Mais, s'il comprend ce qui se passe, le théologien n'hésitera pas à parler de retour au paradis, ou de redécouverte d'une confiance originelle telle qu'il devient possible de considérer le monde comme un jardin. La vérité que traduit l'image du paradis est une donnée originelle qui est présente au cœur de tout homme, antérieurement à toutes les formes de religion et à toutes leurs définitions. Et la foi qu'elle présuppose ne saurait se confondre avec aucune croyance confessionnelle précise : elle est sous-jacente à toutes. C'est d'ailleurs pour cela qu'il n'est pas nécessaire de faire entrer l'expérience thérapeutique dans le réseau notionnel d'une théologie définie. Mais il doit être clair que seule cette confiance permet de fonder l'amour qui rendra un mariage durable et heureux.

Trois corollaires de la vision sacramentaire du mariage dans l'Église catholique.

La vision du mariage dans l'Église catholique entraîne trois corollaires importants, étroitement liés à l'intelligence qu'on peut avoir de la parole du Christ concernant l'indissolubilité du mariage.

Le paradis de l'amour ne connaît pas de commandement.

Le premier corollaire découle immédiatement de ce que nous venons de dire. On comprend de quelle façon Jésus a pu proposer un nouveau fondement au mariage en rapportant celui-ci à l'ordre du paradis. Sans un fort ancrage dans une confiance profonde en la vie, sans le soulagement qu'apporte la foi à l'angoisse existentielle fondamentale, la vie commune, avec tous les malentendus, les peurs, les sentiments de culpabilité qui viennent en fait l'empoisonner, devient à la longue impossible. Le mariage ne saurait être union à vie s'il ne repose pas à la lettre sur la foi, s'il n'est sacrement, recréation par Dieu de l'ordre paradisiaque.

Si on veut comprendre la nature de cet ordre originel, il faut écouter une fois de plus le récit du Yahviste qui voit dans la relation de l'homme et de la femme l'accomplissement de la vie humaine, s'opposant ainsi aux mythologies de nombre de peuples pour lesquels cette relation était une source du péché et de châtiment[9]. Pour lui, la création ne devient bonne qu'à travers l'amour de l'homme et de la femme. À la différence de Dieu, que la Bible soustrait expressément à la différenciation sexuelle que les mythes prêtaient à leurs divinités, l'homme, de même que toutes les créatures, n'est pas un être absolu ni autarcique. Il a tant besoin d'un complément que, du fond de sa poitrine (décrite ici sous l'image de la côte), il ressent l'appel à l'amour, éprouvant physiquement ce besoin à la façon d'un appel

9. E. DREWERMANN, « Von dem Geschenk des Lebens, oder : Das Weltund Menschenbild der Paradieserzählung des Jahvisten », dans *SB*, I, p. 389-410.

d'air. Bien avant d'avoir rencontré l'amour, il en porte une part en lui-même, et quand il le trouve enfin, il peut lui adresser la parole de bienvenue qu'on réserve aux parents proches, celle qu'on trouve si souvent dans les hymnes égyptiens ou dans le Cantique des Cantiques : « Ma sœur, mon aimée » ; car c'est bien grâce à l'aimée que l'homme se retrouve chez soi. Un tel amour signifie la fin de la dépendance vis-à-vis du père et de la mère, mais également la fin du transfert de leurs images sur l'autre. Il permet surtout de se trouver « nu » l'un face à l'autre. Mais, coupé de Dieu, le couple humain se trouve livré à la honte, car chacun a désormais le sentiment de n'être plus suffisant devant l'autre ; seule la conviction de se trouver justifié devant Dieu peut permettre à l'homme de s'exposer tel qu'il est. Pour celui qui se sait aimé, le manque lié à son sexe particulier n'est plus un opprobre : grâce à l'amour, chacun vient apporter à l'autre ce qui lui manque, et sa plus grande joie, ce vers quoi il tend le plus, c'est de venir combler par toute sa personne ce manque, le creux de son moi, et de l'épanouir ainsi par tout ce que l'on est soi-même.

Quand, dans le Nouveau Testament, Jésus fonde le mariage en tant que sacrement en rappelant sa relation au récit du Yahviste concernant le paradis, il renvoie manifestement à la sécurité divine et à la confiance sans limite dont parle ce récit. Mais reconnaître cela, c'est *refuser* l'idée admise dans l'Église depuis qu'elle s'est mise à considérer le mariage comme *son* sacrement : idée selon laquelle la nouvelle communauté ecclésiale devrait garantir la durée du couple par ses lois et ses prescriptions.

C'est certes à bon droit que l'Église peut se présenter comme le nouveau peuple de Dieu, comme une communauté d'hommes en laquelle la présence divine se rend à nouveau visible et active, en particulier à travers les sacrements. On ne peut que s'accorder avec son affirmation selon laquelle le mariage, en particulier, est un retour à l'ordre originellement voulu par Dieu. Car où l'homme peut-il redécouvrir le monde et renaître à la vie, si ce n'est dans l'amour ? Et où est-il possible de voir renaître un dialogue fait de tendresse, d'écoute et de compréhension, si ce n'est dans l'amour ? Mais si cette vue paradisiaque de l'amour est valable, elle doit bien comporter ce caractère radical propre à la guérison que Jésus entend apporter aux hommes de la part de Dieu. Or, dans l'union à Dieu, il est impensable qu'il existe ou qu'il puisse exister une quelconque prescription morale ou légale. Le paradis consiste justement en ce que l'homme trouve un tel repos en retrouvant l'accès à la source de son être qu'il perçoit l'ordonnance de son cœur, de son être, comme quelque chose en quoi il peut totalement se confier, comme quelque chose qui va si parfaitement de soi qu'on s'y fie. Les lois et les commandements ne deviennent nécessaires qu'en dehors du paradis, que pour les enfants d'Ève. Seule l'envie mortelle de Caïn conduit Dieu à lui objecter qu'il doit vaincre le mal qui se tient à sa porte ; et cet avertissement divin, cet appel à la morale donné au-delà de l'Éden, arrive trop tard pour lui permettre de surmonter son sentiment d'infériorité et de concurrence. Dire que l'amour constitue le sacrement du retour à l'ordre du paradis, c'est en même temps lui réattribuer un caractère d'innocence et de liberté absolue, étranger à toute contrainte, à toute « morale », à toute prescription légale. Celui qui considère nécessaire de régir l'amour par un réseau d'ordonnances morales ou de statuts légaux a perdu de vue le couple paradisiaque, le couple comme sacrement, comme expression de la sécurité parfaite retrouvée en Dieu ; il ne considère plus que l'amour de l'homme ayant failli, de celui dont le sentiment fondamental n'est plus la confiance, mais la peur ; non plus l'assurance, mais la déréliction ; non plus la justification et la protection, mais l'abandon et l'exil. Pour un homme de ce genre, il faut des lois et des prescriptions ; mais, dans ce contexte, il devient alors théologiquement et psychologiquement contradictoire de l'*obliger* à aimer tout uniment et pour toujours. Les deux choses s'excluent l'une l'autre. Quand Jésus, parlant du mariage, rappelle l'ordre du paradis, il faut comprendre cela comme on doit le faire de ses appels du sermon sur la Montagne, par exemple de son avertissement de ne pas invoquer en vain le nom de Dieu : il s'agit de retrouver une telle confiance en Dieu qu'il n'est plus besoin d'aucune autre assurance institutionnelle. Institution, droit et loi n'ont de place que là où l'angoisse a déjà tellement ébranlé la base de la vie qu'il devient impossible de rien fonder sur elle. L'Église ne peut pas à la fois faire appel à Jésus pour fonder l'indissolubilité du mariage et le contrer en contestant son refus du serment et de l'institution, avec toute la peur que cela implique. Une telle contradiction confirmerait l'impression qu'elle est capable de comprendre tous les conseils que, sur la montagne, Jésus adressait à des hommes ayant chuté et à des pécheurs, et de les appliquer aux clercs, excepté le propos concernant le mariage (celui qui ne concerne pas les clercs) : sur ce point-là, elle préférerait édicter des prescriptions ayant toute la rigueur de la loi.

Pour comprendre à quel point le mariage se fonde sur la foi, sur la force antagoniste de la peur, et non pas par conséquent sur une institution quelconque et sur des lois morales, il suffit de voir comment, dans le paradis que décrit le Yahviste, il n'y a besoin d'aucune loi, non seulement morale ou sociale, mais même religieuse. Le « paradis », c'est l'ordre de l'homme tel que Dieu l'a voulu. Il n'est ni celui de telle ou telle communauté culturelle ou sociale, ni celui de l'Église, dans la mesure où celle-ci se réclame explicitement d'un certain héritage catholique « romain » relevant d'une culture temporellement et localement limitée. Il devient par conséquent très contestable de voir cette Église, contredisant sa nature et la mission catholique et universelle dont elle se réclame, récuser, au nom de la parole biblique, les formes de mariage des autres cultures. Ce qu'il y a de paradisiaque dans le mariage, c'est l'amour qui s'enracine dans la foi ; si cet amour se réalise dans un mariage polygamique ou polyandrique, cela pose une question culturelle, institutionnelle et morale absolument impossible à confondre avec le problème théologique de la nature de l'amour et de la fondation de celui-ci sur la foi en Dieu. C'est justement parce que l'Église catholique insiste tant sur le caractère sacramentel du mariage qu'elle devrait absolument mettre l'accent sur la priorité absolue à accorder à ce fondement transcendant du mariage et de l'amour par rapport à leurs aspects institutionnels, moraux ou juridiques.

La relativité de la forme, de l'institution et du droit.

Dans ces conditions, le deuxième corollaire, celui de la relativité des formes du mariage, va aussi de soi. Il est parfaitement normal, c'est même une évidence, que, dans son souci de se maintenir, toute société humaine « au-delà de l'Éden » doit édicter certaines règles claires et impératives concernant la conclusion d'un mariage. Mais, « au-delà de l'Éden », il n'existe non plus, et il ne peut exister, aucune société qui, plus mosaïque que Moïse, impose à ses membres la perpétuité de l'union conjugale ; la simple connaissance réaliste de la nature humaine s'y opposerait. Dans la mesure où sont nécessaires lois morales et institutions, on doit bien plutôt présupposer la fragilité de l'amour, l'éloignement intérieur de la réalité paradisiaque et la présence de la « dureté de cœur », et c'est avec cela qu'on doit compter. On n'aura donc aucune difficulté à le concevoir et à l'admettre : nombreux sont ceux qui, vivant en dehors de l'assurance que leur apporte Dieu (même quand ils sont mariés avec la bénédiction de l'Église catholique), de toute la force de leur désespoir — et sans pour cela s'en trouver moralement coupables — cherchent vainement à trouver dans leur époux une certitude absolue que seul Dieu pourrait leur donner. Des personnes de ce genre ne peuvent fort souvent que se heurter l'une à l'autre et échouer, avant de pouvoir progressivement se dégager de leurs errements amoureux et découvrir un niveau plus profond de l'amour, où elles pourront s'épanouir en menant une vie supportable. Une bonne psychothérapie, en refusant d'entendre sous ce mot cette sorte de manipulation ou de chirurgie psychique que ne cesse de présenter une certaine littérature, ne consiste en rien d'autre qu'en un effort pour faire mûrir sous sa forme authentique ce qui se dissimulait sous les aberrations du passé. Théologiquement parlant, il s'agit de remettre au soleil des fleurs sur lesquelles la gelée s'était abattue, de les arroser, et d'en prendre soin en se gardant autant que possible de projeter sa propre ombre sur elles. Forme de maturation tardive dans la foi, une telle psychothérapie, proposée au lendemain de l'échec d'une certaine forme de mariage, permet souvent à celui qui en profite de se tourner de telle façon vers une autre personne qu'il n'apparaît plus impensable de se lier durablement et solidement toute sa vie à elle. Au lieu de fustiger comme faute morale les années de souffrance liée à l'échec du couple et d'accabler ainsi les époux sous le poids de leur malheur, en y ajoutant l'infamie d'un jugement inique, borné, cruel et sans intelligence (y compris la mise à pied de certains employés de l'Église), il vaudrait mieux voir dans les tragédies de l'amour des temps de maturation du cœur, de grâce, autrement dit des étapes préparant à la foi. L'Église catholique s'ouvrirait alors (et laisserait surtout aux époux malheureux la possibilité de s'ouvrir) à une perspective d'espérance et à une vision plus large de la vie, ce qui lui permettrait de bien distinguer entre ce qui est exigible sur le plan moral et ce qui peut apporter paix et harmonie dans les profondeurs de l'existence humaine.

Nécessité de la psychanalyse pour la théologie.

Le troisième corollaire est le plus lourd de conséquences méthodologiques et pratiques. Nous avons vu que, pour comprendre l'échec du couple, on doit d'abord saisir les peurs tapies au cœur de la personnalité des époux et la façon dont elles interfèrent. Mais, à l'inverse, c'est en tenant compte de toutes les déformations qui les sous-tendent, de leur genèse psychodynamique, de leur origine psychique et de leur signification spirituelle qu'on peut comprendre la nécessité absolue de la foi pour la vie commune. Sur le plan de la méthode : ce n'est que par l'intelligence *psychanalytique* de l'angoisse qu'on découvre en quoi consiste l'attitude de foi. La psychanalyse fournit donc une aide indispensable à l'intelligence d'une théologie de la foi. Sans elle, cette théologie perd son caractère de doctrine destinée à guérir l'homme en lui apportant la compréhension et l'amour dont il a besoin pour redécouvrir l'appel de Dieu au cœur de sa personnalité, et dégénère en doctrine moralisatrice coupée de la vie, prêtant à de terribles malentendus. Perdre de vue les abysses de l'angoisse présents au cœur de l'existence humaine, c'est accepter le programme de la philosophie des Lumières, celui qui réduisait cette théologie à un pur enseignement de morale et de droit, à une branche du savoir social où ni la foi ni Dieu n'ont plus de raison d'intervenir. En faisant totalement abstraction des formes concrètes de l'angoisse, une telle théologie oublie l'aspect capital de la vie chrétienne : la victoire de la « création nouvelle » sur l'angoisse existentielle de l'homme perdu. Elle ne peut alors que saper toutes les possibilités ouvertes par la découverte de la liberté, pour ne plus proposer que des lois isolées, des commandements de Dieu qui, au lieu de sauver, ne font que susciter la peur. Ce qui était doctrine de salut se transforme en symptôme de l'aliénation de la conscience humaine, en une sorte de croyance dans laquelle des expressions telles que découverte de soi et épanouissement ne sont plus que les chiffres de l'incroyance et de l'Antéchrist, donc des vocables à éliminer du langage théologique.

Le débat autour de la problématique du mariage, tel qu'il ne cesse de renaître dans l'Église catholique avec toutes ses inepties prétendues orthodoxes, n'est donc que marginal par rapport à celui, infiniment plus important et plus large, de savoir comment surmonter le combat séculaire mené contre l'inconscient, aujourd'hui contre la psychanalyse. La tradition occidentale de la théologie chrétienne n'a cessé de démoniser en l'homme les forces génératrices de mythes, cela en particulier en luttant contre les mythes païens[10]. À l'époque moderne, sa vision de l'homme s'est ainsi réduite à celle d'une pure intelligence et d'une pure volonté. Elle a ainsi sapé le fondement du contenu dogmatique de sa foi, ce qui en a fait malgré elle le fondateur de l'athéisme moderne, de la négation de tout dogme au nom de l'autonomie de la raison humaine. Aussi longtemps que la théologie chrétienne continuera sur cette lancée en s'accrochant fermement à cette vision étroite de la conscience et de la raison, elle justifiera, *volens nolens*, le reproche qu'on lui fait de n'être qu'un système étranger à l'homme, donc aliénant. La rigidité morale qui en résulte la fera alors apparaître comme une doctrine qui ne jaillit pas du cœur de l'homme, mais qui doit lui être inculquée de l'extérieur. En termes psychanalytiques, le christianisme se transforme en religion qui, loin de viser à l'intégration de la personne, à son salut en ce temps et en l'autre, ne cherche plus au contraire qu'à soumettre le moi et le ça à l'empire d'un surmoi draconien. Comment le soustraire à ce reproche, quand on voit sa continuelle insistance sur l'aspect institutionnel, légal et moral, non seulement du mariage, mais aussi des autres aspects de l'existence ? Son organisation apparaît alors de nature dépressive-obsessionnelle ; elle n'est plus que l'expression sadomasochiste d'une intériorisation de la violence et de l'exercice extérieur du pouvoir.

10. Voir E. DREWERMANN, *SB*, III, p. 514-540 : Le combat du christianisme contre les mythes, la querelle confessionnelle et la division intérieure de l'homme.

Finalement, il n'y avait rien d'absurde à partir de l'échec d'un couple dépressif-obsessionel pour illustrer la crise d'une certaine forme de religion. C'est en particulier à propos du problème du mariage que l'on peut l'affirmer en toute sécurité : l'Église catholique n'a pas le droit de léser des milliers de gens au nom du droit divin, cela du simple fait que ses théologiens refusent de se corriger et de tenir compte du savoir de leur temps, et continuent à discuter des problèmes de la vie de couple en fonction d'une image de l'homme, traditionnelle sans doute, mais terriblement étroite.

DIVORCE POUR FAUTE : CONDAMNÉS À ÊTRE MALHEUREUX

Plaidoyer pour le droit au pardon dans l'Église catholique

> Combien l'amour peut-il abaisser l'homme, c'est ce que montrent les pleurs de l'amoureux. Mais de combien de plus de peine souffre celui qui ne trouve personne à qui s'en plaindre.
>
> « Histoire des trois amoureux malheureux », *Les Mille et Une Nuits*, VI, 556.

Quand on néglige la psychanalyse de l'angoisse...

La doctrine de l'Église catholique sur l'indissolubilité du mariage se heurte à deux difficultés majeures. Elle ne pourra les surmonter aussi longtemps qu'elle refusera de se confronter à la doctrine psychanalytique de l'angoisse.

La tragédie de l'amour de transfert ; qu'a donc fait Dieu ?

Le sacrement de mariage ne peut être reçu que par celui qui a la foi, enseigne l'Église. Or, il existe des angoisses d'origine psychologique qui peuvent empêcher d'avoir confiance en soi, dans les autres et dans le monde pris comme un tout. Ancrées le plus souvent dans l'enfance, elles restent habituellement inconscientes, même chez des adultes, ce qui conduit ceux-ci à se comporter comme des noyés : ils s'accrochent désespérément à leur époux comme au roc solide de leur amour, espérant trouver en lui un support et la compensation d'une vie faite de souffrances et de frustrations psychiques. Cette relation ne fait malheureusement que perpétuer leur angoisse inconsciente, car elle prolonge inévitablement la tendance à projeter sur l'autre, en les répétant, les peurs, les interdits, les frustrations, mais aussi les désirs et les attentes tapies depuis l'enfance au fond du moi. Comme si le destin voulait secrètement faire le malin avec l'homme, personne n'est en état de dire au début d'un mariage si cet *amour de transfert* s'épanouira par la suite en acceptation de soi-même et en confiance, ou retombera au contraire dans les orniéres des angoisses passées : même un observateur extérieur serait d'ailleurs incapable de déceler sa présence. L'expérience l'enseigne : il n'est d'amour qui ne soit un pari, et on ne peut savoir s'il débouchera sur le bonheur ou sur la pire désillusion. Même la doctrine catholique du mariage, si elle ne veut pas sombrer dans une abstraction cruelle et absurde, doit bien tenir compte de ce fait ; et elle n'a pas le droit en tout cas de se simplifier juridiquement les choses en simulant une assurance qui ne saurait exister, compte tenu de l'incertitude fondamentale des sentiments humains. Impossible de savoir si un acte posé entre humains est vraiment « conclu par Dieu », alors que la seule chose que Dieu a posée comme essentielle au cœur de l'homme, c'est la croissance et la maturation de la vie dans la confiance et dans l'amour. Ce que l'Église (en la personne du prêtre et de deux témoins) a enregistré n'est pas *ipso facto* œuvre divine ; car elle ne peut vraiment enregistrer comme telle que ce qui vient vraiment de Dieu, ce dont la vie seule décide, et non quelque clause de droit ou quelque critère légal imposés de l'extérieur.

Nous sommes donc renvoyés ici à ce dont nous avons traité dans notre essai sur la « Doctrine morale et conjugale à la lumière de la psychanalyse » (voir ici pages 33-78).

La dynamique de l'affinité élective, ou, de l'illogisme dans la notion d'« incapacité partielle de mariage ».

Mais l'affinité singulière qui pousse l'un vers l'autre certains caractères pose un second problème. Le droit conjugal ecclésiastique peut se consoler en constatant tant bien que mal (ou en échafaudant) après coup le fait que, dans certains cas tragiques d'amour de transfert, il ne saurait y avoir eu conclusion du mariage, au sens dogmatique du terme : car il y avait à ce moment-là « incapacité de mariage ». Les intéressés n'en auront pas moins passé des années à lutter pour cultiver et développer leur reste de « capacité » à aimer, et il est pour le moins blessant de leur signifier après coup que tout cela n'avait finalement rien à voir avec Dieu. Devant de telles tragédies, l'Église ferait mieux de s'avouer et d'avouer aux époux qu'on ne peut humainement savoir ni où ni comment Dieu intervient dans la vie, et que chacun se retrouve dans la situation de Moïse, qui, blotti dans la fente d'un rocher du Sinaï, ne put voir Dieu que de dos (Ex 33, 18-23) : toute science qui prétend voir Dieu en face, d'une certaine façon en vis-à-vis, tue. Mais s'il est évident qu'il est déjà particulièrement difficile pour la doctrine officielle de l'Église d'en arriver à une telle vision des choses, combien plus difficile encore sa tentative de faire rentrer ce cas dans ses cadres en le classant sous la rubrique d'« incapacité partielle au mariage ». Pour décrire la nature de celle-ci, il faudrait mieux faire appel à l'expression plus heureuse de Goethe, celle d'« affinité élective ».

Par ce terme, nous entendons désigner ce fait curieux que certaines personnes de structures caractérielles données s'attirent pour ainsi dire magiquement, en s'imaginant retrouver dans l'autre les qualités qui leur font tant défaut, donc celles qui viendront les compléter.

C'est ainsi qu'un *schizoïde* sera fasciné par la chaleur et la profondeur de sentiment, par la qualité de présence, par toute la personnalité d'une *dépressive*, tandis que celle-ci, consciente qu'elle est du danger qu'elle court à trop s'identifier aux autres, se trouve attirée par la capacité de garder ses distances et la froideur apparemment souveraine du premier ; à moins qu'elle ne mette toute sa confiance en un *névrosé obsessionnel* qui lui permettrait d'échapper à son incertitude en lui apportant la stabilité qui lui fait si cruellement défaut ; ce qui vient en retour flatter l'obsessionnel, tout prêt à voir dans cette reconnaissance et dans cette inclination la récompense de son comportement, toujours parfaitement correct et responsable. Un autre *obsessionnel* trouvera son bonheur dans le tempérament piquant d'une *hystérique*, laquelle aura en retour inconsciemment besoin de protection et de stabilité, ce qu'elle peut justement trouver dans le genre solide d'un bon névrosé de ce type — tous arrangements qui semblent aller dans le sens d'une complémentarité, donc se faire pour le plus grand avantage de tous et de chacun.

Quand, devant l'échec de relations apparemment si favorables, la morale conjugale catholique commence à parler d'incapacité partielle, elle se rend tout au moins coupable d'une incorrection de pensée, celle-ci ne faisant en réalité que masquer une impureté du sentiment.

La notion d'incapacité partielle est une notion structurelle, désignant une forme de relation humaine bien précise, et son emploi ne se justifie qu'en admettant que cet élément structurel doive exclure le bonheur de certaines relations amoureuses. Mais ici ce n'est pas le cas ! En recourant à cette notion, l'Église ne fait donc qu'étouffer le vrai problème, la réussite ou l'échec de ces relations n'étant pas d'ordre structurel, mais d'ordre quantitatif. Sans doute la différence « structurelle » des caractères procure-t-elle aux amours « par affinité élective » une énergie extraordinaire qui peut mener au bonheur ou au malheur des uns et des autres ; mais le fait de l'échec ou de la réussite dépend d'une certaine façon du *quantum* énergétique de la polarité et de l'effet de la force d'attraction qui précipite l'une vers l'autre les deux personnes concernées. C'est le *trop* de présence chaleureuse qui rend une dépressive dangereuse pour un partenaire schizoïde, et c'est un *trop* de schizoïdie, avec ce que cela comporte de froideur indifférente, qui peut précipiter une dépressive dans le désespoir. C'est un *excès* de pédanterie et d'ordre qui fait paraître un obsessionnel inhumain aux yeux d'une dépressive, et un *excès* de disponibilité et de capacité d'adaptation qui poussera l'obsédé à qualifier celle-ci de méduse sans consistance ; c'est finalement l'*excès* de spontanéité, d'étourderie et d'improvisation qui rendra une hystérique haïssable à l'obsédé, et c'est une fois encore un trop fort refoulement des sentiments et une raideur excessive qui rendront impossible à l'hystérique de s'accommoder d'un obsessionnel.

C'est justement ce caractère quantitatif de la relation que la morale catholique, sous sa forme présente, ne veut pas accepter. Ce qui est quantitatif suppose glissements et nuances, et c'est de cela qu'est faite la vie. Mais la morale catholique, elle-même atteinte de névrose obsessionnelle, craint apparemment de voir la vie provoquer un véritable déraillement des normes et des mesures, à partir du moment où elle prendrait en compte la mouvance de ses formes. Elle rejette tout plus ou tout moins, donc tout ce qui justement fait que l'existence prendra un caractère tragique ou heureux, en classant arbitrairement ce plus ou ce moins du côté de ce qu'elle appelle le libre arbitre, comme si nous disposions du pouvoir de décider dans les moindres détails du *tempo* de notre vie — alors même que notre sentiment de la vie ne s'enfle que par l'aspiration d'une existence étrangère dont la singularité échappe par principe à notre décision. Le problème des affinités électives met la morale de l'Église catholique devant un dilemme clair : ou elle fera preuve de la vitalité, de la souplesse, de l'ouverture que présuppose la pensée quantitative, et elle sera capable de comprendre l'incessant va-et-vient entre le bonheur et le malheur, entre le sentiment d'avoir trouvé la plénitude et celui de l'inacceptable, entre la découverte d'un appui et l'insupportable ; ou elle se condamne à rester rigidement à l'écart de la vie, donc à jouer le jeu de la névrose, et non de l'humanisation, pour le plus grand dam de ceux qui auront encore voulu croire que la Bonne Nouvelle du Christ leur redonnerait confiance et espérance, au lieu de redoubler leurs angoisses.

C'est de ce deuxième point que nous avons traité en étudiant le cas du couple dépressif-obsessionnel, dans « Une forme particulièrement tragique de malentendu dans le mariage » (voir ici pages 79-119).

Des mariages qui ont échoué par « faute ».

Mais il existe un troisième cas, plus important encore, qui empêche l'Église catholique de maintenir son point de vue actuel sur la morale conjugale. Que faire, face à ces couples dont, selon le jugement commun, l'échec n'est dû ni aux aberrations d'un mécanisme névrotique ni à des complications caractérielles, mais tout simplement à la faute humaine ? C'est à leur propos que l'Église catholique enseigne de façon particulièrement nette qu'il ne saurait y avoir de pardon de leur faute que s'ils ont la ferme intention de s'amender et de réparer ; et, dans le cas d'époux divorcés, cela signifie la ferme intention de reconstituer avec son partenaire antérieur le foyer brisé, donc de remettre en cause toutes les démarches allant à l'encontre de cette intention, autrement dit d'éviter toute nouvelle relation de caractère conjugal, ou au besoin de rompre celle qui existerait.

Nous voudrions montrer ici comment cette vision des choses est humainement trop courte, et théologiquement intenable.

Seule une faute importante détruit l'essence d'un mariage.

Devant l'échec d'un couple, il est tout d'abord extrêmement difficile de déterminer le moment où l'on passe de l'imbroglio tragique à la culpabilité morale. Il se peut que les époux aient eux-mêmes l'impression que tout a débuté un jour donné, par exemple par une liaison, où à la suite d'un flirt un peu prolongé : c'est donc par la faute d'un des deux partenaires, pleinement responsable, que le mariage a commencé à être ébranlé. Pourtant, cette impression est trompeuse. Si deux amoureux échouent, cela n'est pas dû à tel fait ou à tel événement, mais à leur être. Et c'est cela qui donne à un fait unique son caractère explosif, capable de dynamiter jusqu'aux racines la passion qui les inclinait l'un vers l'autre et la confiance patiente qu'ils avaient habituellement l'un en l'autre, comme une loupe qui permettrait soudain de découvrir que la personne aimée jusque-là n'est qu'un étranger monstrueux. Il suffit d'un seul geste capable de provoquer cette amère impression, et c'est la *désillusion* : naît alors la douloureuse certitude que tous les actes de l'autre sont vraiment typiques de sa véritable personnalité, telle qu'elle vient de se révéler. C'est alors seulement qu'une unique « faute » peut venir troubler ou détruire un amour ou une amitié jusque-là solide. Il suffit de certains actes pour qu'on ne comprenne plus comment l'autre peut agir comme il l'a fait, des actes qui lui apparaissent d'ailleurs assez souvent à lui-même comme *opus alienum* parfaitement incompréhensible. Ce sont ces actes incompréhensibles, autrement dit comme commis par une personnalité totalement étrangère à celle de l'aimé, qui constituent les « fautes » destructrices du couple. S'il y a là quelque chose de « regrettable » à « réparer », ce n'est pas tant l'acte lui-même que le fait d'être tel que l'on est. Mais on ne peut rien changer à son être propre ; on ne peut qu'apprendre à vivre avec lui, et il est difficile de dire où la puissance de destin de son propre caractère et de son style laisse encore place à la décision libre.

Peut-on prendre l'exemple du roi David ?

Prenons comme exemple d'une telle « faute capitale » un cas simple. La Bible connaît le crime effrayant du roi David. C'est dans sa bouche qu'on met le psaume 51 dans lequel quelqu'un supplie Dieu de lui pardonner, parce qu'il sait que « [sa] mère [l'] a engendré dans le péché », tournure hébraïque qui ne signifie rien de plus que la prise de conscience qu'un fait donné — la tradition parle de son adultère avec Bethsabée, suivi du meurtre de son époux, le général hittite Urie — n'est pas un simple malheur, une faute passagère, mais une action jaillie des profondeurs de l'être[1]. Si on veut paraphraser ce verset de psaume en le sortant du contexte de la biographie de David, on pourrait y voir une confession générale où le roi déclarerait : « Cette horreur, qui s'est traduite dans mon acte, c'était déjà moi. C'est sans exception que j'ai toujours été dénué de tout scrupule, avide, intrigant, fourbe, assoiffé de pouvoir, que j'ai à la lettre piétiné des cadavres. Quand, du haut de ma vanité, je regarde en arrière, toute ma vie ne m'apparaît que comme la préparation d'un acte comme celui-ci. Ô Dieu, si tu veux me pardonner, ne le fais pas pour ce seul acte, mais pardonne tout mon être, tout ce que je suis. » *Voilà* ce que veut dire « dans le péché ma mère m'a engendré ». Mais comment continuer à vivre, chargé d'une telle faute touchant la totalité de l'être ? L'Église catholique s'interdit de célébrer un mariage reposant sur un meurtre ; elle exige de celui qui aurait commis un crime aussi monstrueux une réparation à vie, donc qu'il renonce à un bonheur qu'il aurait acquis à ce prix sanglant. Si le roi David avait dû se plier à cette règle, il aurait dû renoncer à sa passion pour Bethsabée ; tout comme celle-ci aurait aussi dû renoncer à son bonheur, car il se peut qu'elle n'ait pas été que la victime, mais peut-être bien aussi la vraie séductrice[2]. Juste punition, pourrait-on penser. À ce moment-là, Bethsabée portait déjà dans son sein l'enfant du roi, et celui-ci aurait eu à grandir dans la honte, sans père. Une punition à vie n'aurait donc pas touché seulement deux

1. En ce qui concerne la catégorie de « commencement », voir *SB*, I, p. XVIII-XXXI.

2. Telles sont les présomptions de saint Jérôme dans son récit sur le roi David.

personnes, mais trois, et n'aurait donc fait que charger d'une faute absurde le fruit de ce péché. La Bible raconte que David eut le courage de tirer une conclusion plus humaine de son crime. En apprenant que son fils, celui que Bethsabée venait de mettre au monde, était mortellement malade, il prit le deuil. Il vit dans la mort de l'enfant une punition justifiée infligée par Dieu. Mais il prit ensuite le parti de son bonheur et de celui de Bethsabée : ils eurent un nouveau fils, auquel il donna pour nom « sa paix », et c'est ce « Salomon » qui devait par la suite devenir pour l'Israël ancien l'incarnation de la sagesse et de l'humanité.

Ce courage et cette confiance dans le fait qu'on ne peut expier une faute passée qu'en s'engageant dans un bonheur commun font preuve de plus de force et servent plus utilement la vie que le rituel de réconciliation sans cesse répété du masochiste. Chaque péché grave est une sorte d'attentat commis contre les fondements de l'existence ; on ne l'expie donc qu'en apprenant à ne plus obéir à la mort, en apprenant à obéir à la vie. Seul le courage du bonheur permet à l'homme d'échapper au cercle vicieux de la faute torturante et de la torture de la culpabilité.

Cependant, David (c'est-à-dire le psalmiste) a reconnu dans sa faute un acte révélateur de son être, et il pourrait se proposer de purifier les traits de caractère de sa personnalité. C'est toujours en raison de leur être que les hommes sont poussés à des actes qui apparaissent des fautes, au sens moral du terme, et qui dépassent en tout cas de loin la capacité de compréhension de leur partenaire, alors qu'il est en réalité impossible d'y voir des péchés, ne serait-ce que parce qu'ils sont souvent le produit d'une longue lutte contre l'acte finalement commis. Il n'y a donc absolument pas lieu de parler de certaines fixations de la pulsion, que la morale sexuelle catholique condamne de façon particulièrement violente (en en méconnaissant d'ailleurs l'arrière-plan psychologique) et dans lesquelles elle voit un empêchement de mariage. Non ! Il suffit de prendre comme exemple une tragédie conjugale pour ainsi dire « moyenne », telle qu'on en rencontre continuellement dans un cabinet de conseiller conjugal.

Quand l'évitement de la faute n'offre plus d'issue à la vie.

Un homme, alors âgé de trente-six ans, avait épousé douze ans plus tôt une femme qui, par sa docilité et son besoin d'appui et de protection, avait éveillé son attention, on pourrait même dire sa compassion, voire, en un certain sens, sa sympathie. Pour comprendre le rapport entre ces deux personnes, il faut ajouter que, originellement, cet homme n'aurait jamais pu ni voulu admettre une autre relation que d'aide et de protection à l'égard d'une femme. Il était le fils unique d'une veuve qui mettait son point d'honneur à faire de son enfant quelqu'un de bien. Grâce à ses économies, sa mère lui avait permis de suivre des études supérieures, et son vœu le plus secret, encore que parfaitement transparent, était de le voir un jour, prêtre, monter à l'autel. Cette forme d'amour maternel n'avait pas eu seulement pour effet de susciter chez l'adolescent les meilleures dispositions en ce sens ; elle avait aussi contribué à ancrer en lui une véritable obsession de la faute et de la punition, en même temps qu'à lui valoir un très vif sentiment d'infériorité. Autant scolairement et professionnellement il s'était montré capable de durs efforts et avait objectivement réussi, autant il se considérait comme un raté. Pour l'attente inconsciente de sa mère, rien n'était jamais assez bon, et il ne connaissait de plaisir qui ne lui parût annoncer un jugement menaçant : sa vision de la vie, celle d'un névrosé obsessionnel, le faisait continuellement vivre sous le poids de la pensée de la mort.

Pour sa part, la femme, fille d'une famille nombreuse de paysans, n'avait jamais appris qu'une chose : que seules l'obéissance mécanique et l'adaptation immédiate lui donnaient pour ainsi dire droit à un emploi durable. Son éveil spirituel se limitait à l'épluchage des pommes de terre et au reprisage des chaussettes, ce à quoi s'ajoutait la conviction que toute excitation sexuelle était gravement coupable.

Au bout de dix ans de ce mariage, stabilisé tant bien que mal par la naissance de deux enfants, la femme tomba malade : schizophrénie de longue durée, avec prédominance d'accès de paranoïa : après avoir en vain cherché à sa manière à égaler publiquement les exploits de son mari, elle se croyait en butte à des tentatives d'empoisonnement ou de meurtre par explosif, et elle se sentait sous le contrôle constant de forces étrangères. Cette disposition d'esprit ne pouvait évidemment que renforcer chez son mari une attitude ambivalente à l'égard de sa femme : d'un côté, cela redoublait son sentiment de compassion et de responsabilité, mais de l'autre, cela ne faisait qu'épuiser ses dernières réserves de bonne volonté. Bien que déjà habitué à trouver quelques substituts de satisfaction de ses besoins sexuels, il commença à prendre très au sérieux l'état de son couple. Dans son angoisse, il en arriva à éviter toutes les possibilités de contacts qui auraient pu s'offrir, tant dans sa profession que dans son hobby de vacances : il ressentait sa menace intérieure comme beaucoup trop forte pour ne pas tenir compte de cet avertissement. Pourtant, cette clôture semi-volontaire ne fit que renforcer son sentiment de gêne, ainsi qu'une répulsion et un mépris croissant envers sa femme. Les scènes au cours desquelles il lui reprochait son manque d'indépendance, sa faiblesse et son apathie se multiplièrent : certes, on parvenait à calmer les états d'angoisse schizoïdique de celle-ci avec quelques sédatifs, mais cela ne faisait que limiter encore plus son horizon et empêcher pratiquement toute activité de sa part. C'est à ce moment que se produisit ce qui était inévitable : une jeune fille, qui venait tout juste de commencer ses études, s'amouracha du mari, qui avait quinze ans de plus qu'elle. Cet amour avait lui-même une préhistoire malheureuse. Cette personne était née dans une famille au catholicisme strict, et la façon despotique dont son père avait mené la maison n'avait finalement eu pour résultat que de conduire sa fille, malgré une bonne volonté exemplaire et une pratique dominicale des plus régulières, à remettre radicalement en cause l'existence de Dieu, seule façon qui lui restait de pouvoir prétendre à un peu de liberté personnelle. Compte tenu de la fiabilité et de la correction presque obsessionnelles de celui qu'elle aimait, celui-ci était exactement l'image inversée de son père, avec son autoritarisme castrateur, et elle se cramponna donc à lui avec toute la passion d'une désespérée. Quant à lui, il éprouva pour la première fois de sa vie un véritable sentiment d'inclination et d'amour ; bref, tout ce à quoi il avait aspiré pendant douze ans, échanges, intérêts réciproques, communion de pensée, un peu de poésie et de romantisme, une certaine parenté d'âme, une complémentarité, et tout compte fait un intense besoin de la proximité de l'autre. Pour la première fois, il semblait pouvoir unifier en lui demande et amour, pulsion et personnalité. Ce fut comme une cataracte : ils furent tous les deux submergés par la violence de sentiments nouveaux, jamais éprouvés jusqu'alors. En particulier, ce fut la première fois que l'homme fut en état de découvrir que, par sa personnalité, il pouvait satisfaire une femme et la rendre heureuse, et cette liaison lui permit de rétablir la continuité d'un développement personnel brusquement interrompu du fait de son mariage.

Mais, alors que cette liaison semblait leur apporter la complémentarité nécessaire pour leur permettre de progresser pour leur plus grand profit commun, elle suscita chez eux un violent sentiment de culpabilité qui vint ronger leur bonheur. Certes, l'élan de leur amour leur permettait, en ce qui concerne la femme, de desserrer l'emprise de la conscience parentale ; mais la pression étouffante d'un milieu rural ombrageux n'en persistait pas moins. Plus inquiétant encore : certaines lettres firent découvrir au père de la jeune fille les vraies raisons de son épanouissement, et il exigea brutalement la rupture de cette liaison bénie et maudite, heureuse et malheureuse. Du côté de l'homme, le problème n'était pas moins insoluble : sa femme retrouvait peu à peu la santé. Impossible de tout remettre en jeu en commettant un acte brutal, autrement dit en lui confessant franchement sa situation. Impossible aussi de renvoyer son amie. Certes, conscient de la jeunesse de celle-ci, il s'était fait à l'idée que, par souci de son père, elle pourrait en arriver à exiger une relation plus en harmonie avec son âge ; mais il se disait aussi fort justement que seule une retenue plus grande de sa part pouvait la conduire à une telle décision, et il se faisait donc un devoir de rester à son côté, même si c'était uniquement en secret, et au prix d'une dissimulation et d'un mensonge quotidiens. Ayant ainsi choisi de temporiser, il se mit à accabler son épouse de railleries amères et cyniques, ce qui ne fit qu'empoisonner davantage leurs relations : pensant la situation intenable à la longue, il espérait ainsi gagner cinq ans, le temps que ses enfants grandissent, que l'étudiante devienne indépendante, et que sa femme elle-même se lasse de lui.

Nous ne dirons pas la fin de l'histoire : que le lecteur curieux l'invente ; il découvrira par lui-même qu'il n'en est pas qui puisse satisfaire la morale conventionnelle, ce qui est le seul point qui nous importe. Si l'affaire en était venue à être connue, toutes les commères du village auraient déclaré qu'il était clair comme de l'eau de roche que la responsabilité de l'échec du couple incombait au mari. Mais, en y regardant de plus près, peut-on parler de faute de sa part, au sens d'acte subjectivement imputable, et lui en faire reproche, même au stade préliminaire de l'affaire, celui du début de la cassure « coupable » du couple ? Qui voudrait ici s'ériger juge, que ce soit d'un autre ou de soi-même, tant apparaissent labiles les frontières entre la contrainte inconsciente du transfert, avec ses lois psychodynamiques propres, et l'espace prétendument ouvert à la liberté et à la responsabilité ? Il existe une limite au-delà de laquelle la charge étouffe l'amour, rend impuissante la bonne volonté et condamne à l'échec la tentative la plus désintéressée de loyauté. Quand l'amour meurt ainsi, faut-il donc à tout prix trouver un meurtrier ? Dans le cas que nous venons d'examiner, le mari était lui-même parfaitement disposé à se déclarer coupable ; mais il était absolument hors d'état de le regretter. Que n'avait-il pas fait, pour se soustraire à la menace de l'amour ? Mais, frappé de ses flèches, il n'était plus qu'un assoiffé, incapable de s'apercevoir que l'eau qui le faisait revivre venait d'une fontaine étrangère.

Balzac, ou la sagesse du roi Artus.

Quand il s'agit d'évaluer le « péché », que ce soit en matière conjugale ou à propos de quelque autre problème que ce soit, la théologie morale conclut fort souvent à la nécessité de réprimer la vie en réprimant le coupable, alors que, s'il lui restait encore un peu de respect devant les complications du cœur, elle devrait s'avouer, et avouer aux gens, l'existence de fautes qui, loin d'entraver la vie, la dilatent : en dépit de la souffrance qu'elles peuvent provoquer injustement chez un tiers, elles n'en constituent pas moins à la longue une chance telle que, par amour même de la vie, il serait mauvais de les éviter.

Veut-on vérifier la justesse de ce point de vue ? Qu'on observe les multiples détours dont usent ces surmoi draconiens, le plus souvent cultivés dans l'Église, pour interdire à des unions devenues intenables tout autre issue que la fuite dans la maladie et la lente destruction psychosomatique.

« Rien ne protège mieux la vertu que la maladie », déclarait déjà Freud à Vienne en 1908[3], obligeant ainsi à s'interroger sur la nature d'une vertu dont les exigences surpassent tellement les forces du moi que la maladie devient le prix de son maintien.

Mais quittons le prosaïsme de ces cas de psychothérapie pour nous tourner vers la littérature : elle regorge de récits de drames conjugaux ; ce qui illustre le constant désir du public d'un peu plus de lumière en la matière.

Prenons l'exemple d'Honoré de Balzac. S'il s'est immédiatement construit une réputation de génie, c'est en traitant du problème de la femme incomprise, dans *La Femme de trente ans*[4], roman dont la composition peut laisser à désirer, mais qui n'en est pas moins fort intéressant. Résumons rapidement l'action : en dépit de toutes les mises en garde, Julie d'Aigremont, une femme sensible, a épousé un officier superficiel et rigide. La vie conjugale la déçoit bientôt à tel point que, « au moment où la faculté d'aimer se développait en elle plus forte et plus active, l'amour permis, l'amour conjugal, s'évanouissait au milieu de graves souffrances physiques et morales. Puis elle avait pour son mari cette compassion voisine du mépris qui flétrit à la longue tous les sentiments[5] ». Ne vivant plus que pour sa fille, elle ne fut plus en mesure de supporter son existence que grâce à l'opium, jusqu'au jour où elle fit connaissance de lord Arthur Grenville, noble qui devint son ami. Son amour, fort retenu, de façon très victorienne, ne lui rendit pas seulement la santé ; il lui permit surtout de découvrir sa propre valeur. Mais comment résoudre la tension entre le devoir et le sentiment ? Les femmes, songe Balzac, quand « elles ont imposé silence au sentiment exclusif qui ne leur permet pas d'appartenir à deux hommes, ne sont-elles pas comme des prêtres sans foi[6] ? » Cependant, quand la seule source de vie est devenu l'amour pour un autre homme, que peut encore être pour elle le mariage, sinon la continuelle flétrissure d'une

3. S. Freud, *La Morale sexuelle « civilisée » et la Maladie nerveuse des temps modernes* (1908), dans *La Vie sexuelle*, trad. D. Berger et J. Laplanche, Paris, PUF, 1969, p. 28-46.
4. H. de Balzac, *La Femme de trente ans*, Paris, Éd. Delmas, 1948.
5. *Ibid.*, p. 49.
6. *Ibid.*, p. 67.

prostitution légalisée ? Pour sauver l'« honneur » de sa maîtresse, Arthur meurt. Mais cette fin, au lieu de résoudre le conflit, conduit Julie à s'enfoncer dans de nouvelles souffrances inconnues ; d'où la question fondée qu'elle se pose : y a-t-il vraiment au ciel un Dieu qui veut cette torture d'une âme esseulée ? Est-il permis de poser l'équivalence entre sa sagesse et les préceptes moraux de la société ? Julie d'Aigremont, pour sa part, ne peut y croire. C'est ce qu'elle explique à cœur ouvert à l'abbé vieillissant venu lui prêcher la résignation : « Obéir à la société ?... Tous nos maux viennent de là. Dieu n'a pas fait une seule loi de malheur ; mais en se réunissant, les hommes ont faussé son œuvre. Nous sommes, nous, femmes, plus maltraitées par la civilisation que nous ne le serions par la nature[7]. »

Qu'en est-il du *devoir maternel*, par lequel l'Église et la société justifient avec force l'indissolubilité du mariage ? Sur ce sujet aussi, la souffrance a appris à Julie à se faire sa propre opinion. « Un enfant, demande-t-elle au prêtre, n'est-il pas l'image de deux êtres, le fruit de deux sentiments librement confondus ? S'il ne tient pas à toutes les fibres du corps comme à toutes les tendresses du cœur ; s'il ne rappelle pas de délicieuses amours, les temps, les lieux où ces deux êtres furent heureux, et leur langage plein de musiques humaines, et leurs suaves idées, cet enfant est une création manquée. Oui, pour eux, il doit être une ravissante miniature où se retrouvent tous les poèmes de leur double vie secrète ; il doit leur offrir une source d'émotions fécondes, être à la fois tout leur passé, tout leur avenir. » En revanche Hélène, la fille de Julie, « est l'enfant de son père, l'enfant du devoir et du hasard[8] ». C'est pour cela qu'elle ne parvient à éveiller en Julie aucun sentiment maternel, et le prêtre lui-même doit bien mesurer à ces mots « la différence qui se trouve entre la maternité de la chair et la maternité du cœur[9] », et accorder à Julie que la mort serait préférable à une telle vie. Mais celle-ci veut vivre et vivra, grâce à son amour résolu pour le jeune Charles de Vandenesse, amour que tolère son époux, désormais plus compréhensif.

Inutile de rapporter ici la fin du roman, passablement

7. H. DE BALZAC, p. 87.
8. *Ibid.*, p. 89.
9. *Ibid.*, p. 91.

confuse. Mais ce qui est clair, c'est l'expérience que l'auteur entendait condenser, celle qu'il défendait avec véhémence ; il y a bien des femmes, parfois aussi bien des hommes, pour lesquels le mariage est un tombeau ; *pour survivre*, ces êtres doivent alors exiger de la vie leur droit à l'amour. Balzac lui-même avait découvert dans sa vie comment l'amour maternel et fidèle de Mme de Berny, une femme de quarante-cinq ans, l'avait libéré de sa mère et avait fait un adulte du jeune homme de vingt-deux ans qu'il était ; en sorte que Stefan Zweig déclarait fort justement à propos de cette liaison : « Balzac a survécu à sa triste enfance comme à une maladie. On le sent guéri, jouissant fièrement, délicieusement, de la joie de sentir sa propre force. Son foyer, ce n'est plus la raison paternelle, mais celle de Mme de Berny. Il n'est pas de supplication, de reproche, de scènes d'hystérie dans sa famille, de clabaudages et de ragots dans la ville qui puisse briser sa volonté d'appartenir librement et passionnément à la femme qui l'aime[10]. » Ce n'est qu'à travers l'« adultère » prolongé de Mme de Berny que le génie de Balzac s'éveilla, et l'époux de celle-ci fut assez sage — rare exemple de tolérance — pour accepter cette liaison pour le plus grand avantage de tous les intéressés.

Avant de se poser la question de la faute, au sens juridique et moral du terme, il faudrait donc s'interroger sur l'utilité, sur les effets dans la vie de ce qu'on appelle par exemple l'« amour libre ». À la cour du roi Artus, le roi légendaire, qui était coupable ? : Lancelot, le chevalier du lac, amoureux de la fatale Guenièvre, l'épouse de son roi ou bien Mordred, le bâtard qui, pour venger son père, mit publiquement au jour leur liaison et força ainsi son père, pourtant si patient et si compréhensif, à prendre des mesures qui conduisirent à la destruction d'un royaume et provoquèrent la fin de la Table ronde, avec son idéal d'ennoblissement de l'humanité par la tolérance et la bonté[11] ? Que devaient faire Tristan

10. Stefan ZWEIG, *Balzac. Le Roman de sa vie*, trad. F. Delmas, Paris, Éd. Albin Michel, 1984, p. 80.

11. R. SCHIRMER, *Lancelot und Ginevra, Ein Liebesroman am Artushof*, Zurich, 1961, p. 159-160. Qu'on pense aussi à la tragédie d'Effi Briest, qui, dans son inconscience juvénile, dépérit aux côtés du baron von Instetten, homme de devoir, mais amoureux parcimonieux, avant de s'éprendre, presque contre sa volonté, de Crampus, le commandant de district : duel, divorce, maladie, et mort jalonnent cet amour réprimé. Th. FONTANE, *Effi Briest*, Berlin, 1894-1895.

et Iseult, alors qu'avait disparu le petit chien Petitcru dont les clochettes calmaient les peines des âmes séparées[12] ? On ne peut s'empêcher de concéder que, tout en constituant des fautes contre la morale et la bienséance, certaines formes d'amour ne sont pas péchés contre la vie, fautes qui seraient beaucoup plus graves : car le sens de la loi, c'est la protection de la vie, et sa mesure, c'est toujours sa capacité de la maintenir et de la promouvoir. À l'inverse, là où la vie menace de s'étioler, à cette frontière où la loi placarde ses édits, l'humanité ne devrait-elle pas considérer comme une mission supérieure, comme un devoir absolu, de faire sauter ces barrières, et d'appeler chacun à suivre la route que lui seul est à même de connaître avec précision, alors que la règle générale est et restera à jamais incapable de la formuler avec exactitude ?

Gervaise, ou la destruction de l'amour sous l'accablement du malheur.

La vie oblige donc parfois à passer par de tels goulots d'étranglement que les gens ne pourraient que briser *intérieurement*, s'ils ne faisaient montre d'une force irrésistible, capable de faire éclater les limites de la loi. Mais, à côté de ces cas, combien d'échecs ! Non pas toujours du fait de l'usure de la force amoureuse intérieure de la personne ; mais parfois, du fait de la monstruosité du destin. Ici encore, on peut avoir l'impression de faute, alors qu'il est impossible de distinguer subjectivement — donc en toute justice — entre ce qui est liberté et nécessité, décision personnelle et destinée, fatalité et faux pas.

12. R. SCHIRMER, p. 252-256. Voir Joseph BÉDIER, *Le Roman de Tristan et Iseult*. Stefan Zweig décrit la relation de Marie-Antoinette avec Alex von Fersen, l'ambassadeur suédois qui fut le véritable ami et l'amant de la reine de France, à côté de son époux, Louis XVI, que toute sa manière d'être coupait d'elle. Il a des termes magnifiques pour justifier l'amour de la reine : « Jamais une femme n'est plus honnête ni plus noble que quand elle cède librement et complètement à des sentiments qui ne trompent pas et que les années ont mis à l'épreuve, jamais une reine n'est plus royale que quand elle agit humainement » (St. ZWEIG, *Marie-Antoinette*, trad. A. Hella, Grasset, 1989, p. 250).

On connaît les innombrables cas, à la fin de la Seconde Guerre mondiale, des milliers de femmes qui vivaient dans l'espérance du retour de leur époux, prisonniers des Russes, ou déclarés disparus. Certaines d'entre elles n'avaient parfois connu leur mari que quelques mois, avant qu'un ordre brutal et absurde ne vienne les arracher à elles au lendemain de leur mariage. Elles avaient vécu des années de solitude, d'angoisse, de peine, d'attente. Elles avaient senti leur cœur tressaillir à chaque distribution de courrier, résistant parfois des années après la capitulation aux conseils d'amis pleins de bonnes intentions, avant de renoncer à leur torturante incertitude et de consentir à un nouveau mariage. Et voici que, des années plus tard, contre toute attente, le mari revient à la maison. Les deux époux de jadis se retrouvent l'un face à l'autre, mais sont incapables de se retrouver. Ce qui les avait si longtemps liés, c'étaient les images d'un passé dont le souvenir était parfois trop faible pour encore renaître dans la tendresse, ou qui s'était nourri d'élans amoureux qui n'avaient plus rien à voir depuis longtemps avec la personne de l'autre. En procédant à la nomination des clercs, l'Église catholique est assez sage pour éviter le plus possible de nommer curé d'une paroisse quelqu'un qui y a déjà été vicaire, car cela ne ferait que provoquer des désillusions de part et d'autre ; serait-elle donc incapable de comprendre qu'il y a des formes de séparation extérieures telles que l'attente mutuelle la plus fidèle ne fait que contribuer à faire de ses protagonistes des étrangers qui n'ont plus aucun avenir commun possible ?

Cette distanciation intérieure de deux époux, née d'une épreuve extérieure, peut se produire alors qu'on vit côte à côte. Certaines exigences liées à des mutations *extérieures* sont trop lourdes pour le moi, et les plus grandes de ses qualités en sont soudain comme retournées en leur contraire.

Dans son roman *L'Assommoir*, où il traite de la paupérisation de la classe ouvrière au milieu du XIXe siècle, Émile Zola présente l'exemple tragique de Gervaise, femme courageuse qui, séparée de son amant, le chapelier Lantier, cherche à subvenir à ses besoins et à ceux de ses enfants en se faisant blanchisseuse, avant d'épouser Coupeau, un zingueur. Auprès de son mari, elle jouit désormais d'un bonheur simple. Mais il suffit d'un accident de travail qui rend Coupeau invalide, et le destin reprend sa marche tragique.

Gervaise est incapable de subvenir seule aux besoins des siens, tandis que son mari ne peut supporter d'assister passivement à la débâcle. Par dégoût de soi, il sombre dans l'alcoolisme, ce qui achève de le ruiner, lui et les siens, et ce qui provoque chez Gervaise une insurmontable répugnance, au point qu'elle en arrive à souhaiter la mort de Coupeau. En termes extraordinairement concis, Zola décrit la chute progressive dans la misère, une misère dont le ménage Coupeau devrait se sentir responsable, alors qu'il ne peut assumer cette responsabilité. « Oui, c'était la faute du ménage, s'il dégringolait de saison en saison. Mais ce sont des choses qu'on ne se dit jamais, surtout quand on est dans la crotte. Ils accusaient la malchance, ils prétendaient que Dieu leur en voulait. Un vrai bousin, chez eux, à cette heure. La journée entière, ils s'empoignaient [...] Le plus triste est qu'ils avaient ouvert la cage de l'amitié, les sentiments s'étaient envolés comme des serins. La bonne chaleur des pères, des mères et des enfants, lorsque ce petit monde se tient serré, en tas, se retirait d'eux, les laissait grelottants, chacun dans son coin. Tous les trois, Coupeau, Gervaise, Nana, restaient pareils à des crins, s'avalant pour un mot, avec de la haine plein les yeux ; et il semblait que quelque chose avait cassé, la mécanique qui, chez les gens heureux, fait battre les cœurs ensemble [...] Les jours où le torchon brûlait, elle criait qu'on ne le lui rapporterait donc jamais sur une civière. Elle attendait ça. Ce serait son bonheur qu'on lui rapporterait. À quoi servait-il ce soûlard ? À la faire pleurer, à lui manger tout, à la pousser au mal [...] Quand donc crèvera-t-il, cette rosse[13] ? » Quoi d'étonnant à ce que Gervaise « au milieu de cette existence enragée par la misère[14] » finisse par se tourner vers un Lantier sans scrupule, puis finalement, poussée par la pauvreté et la faim, cherche sa survie dans la prostitution[15] ? Même la mort paraît finalement dédaigner cette soiffarde : « La terre ne voulait pas d'elle, apparemment. Elle devenait idiote, elle ne songeait même pas à se jeter du sixième sur le pavé de la cour, pour en finir. La mort devrait la prendre petit à petit,

13. Émile ZOLA, *L'Assommoir*, Paris, Éd. Garnier-Flammarion, 1969, p. 336-337.
14. *Ibid.*
15. *Ibid.*, p. 419.

en la traînant jusqu'au bout dans la sacrée existence qu'elle s'était faite[16]. »

À cette lecture, comment ne pas prêter foi aux propos de saint Paul, quand il parle de « vases de colère prêts pour la perdition » (Rm 9, 22), tant apparaît inévitable la chute de Gervaise, cette femme pourtant douée de tant de capacité au bonheur. Il n'y avait qu'une seule issue pour elle, mais c'était celle qu'elle était parfaitement incapable d'emprunter, du fait de la morale bourgeoise : il lui aurait fallu se séparer le plus tôt possible de son mari, s'enfuir même, avant que celui-ci ne puisse l'entraîner avec lui au fond de l'abîme de son malheur.

On pourrait multiplier les cas de ce genre, où un malheur inattendu vient changer à tel point le caractère de quelqu'un que cela détruit l'amour que lui portait un tiers, en sapant le fondement de cet amour. Il faudrait en premier lieu déployer le spectre tellement large des maladies incurables, physiques ou psychiques, dont nous n'avons fait ici que donner un exemple. Impossible de mesurer de l'extérieur ce que peut signifier le fait d'avoir à vivre des années aux côtés d'un alcoolique, d'un paranoïaque, d'un schizophrène, d'une personne changée au point d'en devenir méconnaissable. Encore moins peut-on fixer de l'extérieur ce que peuvent être pour quelqu'un les frontières du supportable. Il faudrait également mentionner le domaine, si vaste, où l'évolution de la personnalité de l'un des deux époux le conduit comme par nécessité intérieure à ne plus voir en l'autre qu'un frein et une chaîne : plus celui-là progresse, plus son lien à l'autre lui paraît insupportable. Ce qu'illustre fort bien le drame de Henrik Ibsen, *Maison de poupée*. On ne peut être engagé qu'à ce qui correspond à sa nature, et si le développement d'un être le conduit, parfois contre sa volonté, à se séparer peu à peu d'un autre, on ne saurait faire un devoir d'en empêcher la fracture, pas plus que celle d'un iceberg entrant dans une mer chaude. Ce qui, vu de l'extérieur, apparaît alors comme une faute, peut n'être en réalité que fidèle obéissance à la vérité de son être.

16. *Ibid.*, p. 445. En ce qui concerne la continuation forcée de couples ratés, voir T. TANNER, *Bis das Mord euch scheidet. Ein Therapeut zum verhängnisvollen Weiterführen zerrutterer Ehen*, Fribourg, Éd. Olten, 1981.

Devant de telles tragédies du couple, l'Église catholique ne connaît jusqu'à présent que la clause fort insuffisante déjà mentionnée, celle d'« erreur sur la personne ». Encore faut-il l'analyser psychanalytiquement pour pouvoir comprendre le problème du transfert. Il ne sert plus à rien de parler d'« erreur sur la personne » pour juger de toutes ces formes non névrotiques, si nombreuses, d'échecs du couple. Devant de tels chocs du destin, ou devant cette évolution contrastée du couple, impossible de se référer à une erreur de la faculté subjective de jugement au moment de la conclusion du mariage : il vaut mieux parler de la cruauté trompeuse d'une destinée qui se manifeste au cours même de la vie conjugale. Lorsque, sous ce poids, le couple se brise, on peut voir tel ou tel individu se reprocher sa faute et sa défaillance, alors même qu'il a déjà épuisé toutes ses capacités en tentant de faire l'impossible. Devant de tels cas, ne faudrait-il pas faire crédit à la parole de la première épître de Jean (3, 20), selon laquelle « si notre cœur venait à nous condamner, Dieu, qui connaît tout, est plus grand que notre cœur[17] » ? Ce qui nous accuse, ce n'est pas le plus souvent notre « cœur », mais le contenu si pesant de notre sur-moi, de la règle extérieure institutionnalisée ; mais même si nous ignorons tout nous-mêmes du mélange de force du destin, de faiblesse, de faute et d'impuissance, l'injonction religieuse ne devrait-elle pas avoir pour devoir et pour fonction d'assurer les bases d'une confiance capable de nous arracher à la faiblesse et à la faute pour nous reconduire à Dieu, pour qu'il sonde les raisons de notre cœur, celles qui nous ont entraînés à la faute par-delà notre liberté, celles qui nous feront proclamer innocents par-delà les vues étroites de notre

17. Dans le papyrus égyptien Berlin 3127, datant d'environ 1200 ans av. J.-C., on trouve un parallélisme intéressant à l'idée que Dieu nous pardonne alors même que notre cœur nous accuse. Le mort, du nom de Amun-em-Uja (Amon est en bateau) supplie son propre cœur « de ne pas se prononcer objectivement [autrement dit de ne pas rappeler sa faute] contre lui lors du jugement dans l'au-delà, mais de laisser agir le rituel du déni de péché ». La prière déclare : « Osiris, prince des Chambres du domaine du Temple de Amun-em-Uja (nom du mort revêtu de son titre) déclare : "Ô cœur de ma mère, cœur de ma mère, cœur de mon être." » La distinction décrit bien les qualités innées et les qualités acquises. Voir S. MORENZ, *Altägyptischer Jenseitsführer. Papyrus Berlin 3127, mit Bemerkungen zur Totenliteratur der Ägypter*, Leipzig, 1964, p. 11.

« conscience » ? Cette confiance dans le pardon est ce qui donne aussi le droit, par-delà un échec malheureux, de chercher le bonheur dans un nouveau bonheur ; et il ne saurait sûrement y avoir un devoir d'infliger une « pénitence » à vie à la victime d'un destin cruel immérité.

La destruction morale de l'amour, ou : M. Karenine a-t-il toujours raison ?

On peut demander à une institution de pardonner, mais on ne peut toujours l'attendre d'un particulier.

Entre l'offre et la demande, quel contraste ! Ce que nous demandons à l'Église catholique, en tant qu'institution, c'est d'accepter *le principe du pardon*, compte tenu du malheur de l'homme ; ce que la théologie morale catholique propose aux époux, c'est de satisfaire *au devoir de pardon* afin de maintenir leur union. Mais l'obligation de pardonner personnellement, grâce à laquelle la vision éthique et juridique de l'Église semble apparemment disposer d'un remède à toutes les brouilles liées aux difficultés conjugales, n'est pas chose aussi facile à remplir qu'il n'y paraît, ni du point de vue théologique, ni du point de vue psychologique. On est fondé par conséquent à requérir qu'un ordre du droit repose sur le principe de la miséricorde et cesse donc de détruire à jamais le bonheur privé du « coupable » ; on ne saurait en revanche exiger des personnes d'être à la hauteur d'un pardon total : le demander de façon aussi absolue va à l'encontre de toute l'expérience psychologique — quantité de gens en sont incapables — et cela ne correspond d'ailleurs absolument pas au point de vue théologique. Dans l'évangile selon saint Jean (20, 19-23), quand Jésus confère à ses disciples le don du pardon, il lie étroitement celui-ci à la découverte de la cicatrisation de ses blessures : compte tenu de cette image, il ne saurait y avoir de pardon tant que les plaies du péché, en soi mortelles, ne se convertissent pas en vie nouvelle ; en d'autres termes, il faut pouvoir surmonter intérieurement la peine infligée et sortir renouvelé de cette épreuve pour être vraiment capable de pardonner ; ou, pour dire inversement les choses, aussi longtemps que quelqu'un se sent encore mortellement touché par certains comportements, aussi longtemps qu'il reste comme anéanti par la faute de l'autre, il n'est pas vraiment capable de pardon.

Cette incapacité tient d'abord au fait que le moi n'a pas encore pu faire le travail du deuil. Prenons l'exemple d'une femme dépressive que son mari a trompée : la blessure infligée à l'estime qu'elle pouvait se porter à elle-même peut être telle (du fait de son sentiment d'infériorité latent) qu'elle n'a plus d'autre alternative que de se haïr ou de haïr son mari. Il se peut alors qu'une réaction exagérée de son *surmoi* lui rende impossible tout pardon, ce que je voudrais illustrer par un court exemple montrant à quel point l'intériorisation de la morale catholique, avec toute sa rigueur et son manque de compréhension, peut agir de façon destructive.

Un homme souffre depuis plus de six mois à cause d'une découverte terrible : en rangeant la cave, il a par hasard trouvé des lettres de sa femme établissant clairement que, quinze ans plus tôt, avant son mariage, pendant ses fiançailles, elle entretenait une relation intime avec un ecclésiastique de haut rang. Cette femme avait grandi sans père, et elle avait cherché pendant quatre ans appui et protection auprès de cet éminent prélat, un vrai patriarche, avant que celui-ci, saisi du sentiment inconscient de concurrence masculine et sous l'effet de la jalousie, se soit attribué au dernier moment une sorte de *jus primae noctis* sur sa « fille » spirituelle. Peu après, la femme se maria sans laisser jamais rien soupçonner de la chose à son mari, et elle vécut relativement heureuse avec lui, jusqu'au jour où la malheureuse découverte des lettres provoqua un effondrement du couple.

On pourrait penser que l'expérience de la vie en commun aurait pu amortir l'effet d'une faute remontant à tant d'années, et que le désarroi qu'avait alors connu cette femme aurait pu parler en sa faveur. Mais le mari ainsi trompé vit les choses tout autrement. Il entra en fureur, non pas d'avoir été cocufié, puisqu'il n'était que fiancé ; ce qui fit chanceler son univers, c'est que la tromperie ait été si vulgaire : l'humanité était donc incapable de franchise et de vérité ! Le mariage ne lui apparut plus que comme un néant ; il s'était conduit comme un fou en s'imaginant avoir épousé une vierge, et voilà qu'il se trouvait sournoisement dépouillé du seul acte vraiment masculin ! Insomnies, interminables nuits de torture, manque de concentration dans son travail, attitudes brutales à la maison, réflexions sans fin sur la façon de se venger : ne pourrait-il publier dans les journaux un article clouant au pilori le digne prélat ? Ou, œil pour œil, dent pour dent, ne pourrait-il séduire lui-même une jeune fille ? Avec sa femme, qui se tordant les mains, le suppliait de la comprendre et d'avoir pitié d'elle, plus de conversation, sinon pour revenir toujours sur cette question : comment on avait pu le tromper tant d'années ? S'il avait été au courant de l'affaire, jamais il n'aurait consenti au mariage ! Et de reprendre inépuisablement cette litanie. Puis changement de ton : il saura se montrer chevalier sans reproche, vrai noble à l'âme magnanime, sans rien de commun avec ce chenapan de curé oublieux de ses devoirs ; là où cet être lubrique n'avait su voir que son avantage, lui, en véritable époux, était prêt à montrer sa grandeur d'âme en oubliant avec élégance le néant de ce genre de bagatelles. Et, comme pour offrir à son épouse pleine d'espoir la preuve formelle de sa longanimité, il arrangea sur-le-champ une rencontre à trois avec le traître, se montrant ainsi doublement digne de l'amour de sa femme : par l'éminence de sa vertu, et par le zèle avec lequel il appliquait le conseil de l'apôtre en « amassant des charbons ardents sur la tête de son ennemi » (Rm 12, 20). Mais la mise en scène rata. Au lieu de déboucher sur une réconciliation, elle ne fit qu'accentuer violemment la brouille, au point que seule la faveur du destin lui fit atteindre au bout de neuf mois ce à quoi les meilleurs conseils n'avaient pu conduire : l'ecclésiastique mourut d'une crise cardiaque, et l'annonce de ce décès bien mérité suffit à calmer chez le bon époux catholique le reste de désir de vengeance.

Il n'aurait évidemment servi à rien de vouloir faire prendre conscience à cet homme de son incapacité (nettement névrotique) de pardonner, ou de chercher à lui prouver que son désir de se venger d'un tort ancien ne conduisait qu'à provoquer un nouveau dommage. Il aurait été plus difficile encore de lui faire découvrir que son intacte vertu ne faisait que cacher son manque de confiance en sa propre virilité, qu'il n'élevait donc la « fidélité » au rang de devoir absolu que parce qu'il était incapable de s'attacher durablement sa femme d'une autre façon. Lui qui, durant sa jeunesse, n'avait jamais rencontré ni indulgence ni compréhension, s'en tint jusqu'au dernier moment au point de vue du droit, à l'enseignement de l'Église, au caractère immaculé de sa propre existence. Pardonner dans un cas de ce genre aurait signifié pour lui un effondrement encore plus catastrophique de sa vision du monde que celui provoqué par la faute de sa femme. Quelqu'un de ce genre ne pouvait absolument pas percevoir que sa rigueur morale ne signifiait rien d'autre que sa dureté de cœur, et en un certain sens son incapacité totale d'aimer ; et le caractère tragique de son destin consistait en ce qu'il n'était et ne pouvait être *que moral*, sans pouvoir comprendre que son pharisaïsme *religieux* et *humain* le rendait globalement plus pécheur que l'épouse qui avait failli. La réduction du religieux à l'éthique, manifestée par son comportement et par toute sa personne, débouchait d'elle-même sur l'absurde : son moralisme rigide détruisait ce que la morale voulait maintenir. Mais aurait-on pu lui reprocher subjectivement comme une faute ce que, presque sans exception, les défenseurs de la religion ne font que propager dans l'Église : les prédicateurs font toujours porter l'attention sur la justesse de l'acte et sur les normes de l'action correcte ; mais ils ne s'intéressent que fort rarement aux motivations et aux impulsions inconscientes de l'agir.

Un exemple de mariage malheureux, Léon Tolstoï ; ou : qui a vraiment tort ?

Il faut tout d'abord y réfléchir : si la dureté de cœur liée au désir de perfection et à l'impossibilité de pardonner provoque la destruction de l'amour, cela ne tient pas qu'à l'existence de certaines fautes.

Dans son roman *Anna Karenine*, Léon Tolstoï nous trace l'éternel portrait de deux époux absolument différents. D'un côté, Alexis Alexandrovitch Karenine, le mari, figé dans sa correction, et de l'autre Anna Arkadievna, sa femme, assoiffée de vivre. Ce contraste brisera le couple. Au lycée et à l'université qu'il avait fréquentés, avec éclat, Alexis, l'orphelin, n'a rien appris d'autre que faire carrière et se comporter extérieurement en modèle de discipline. Toute sa vie, la promotion sociale, les honneurs, le succès ont été ses seuls buts. Il ne s'est jamais préoccupé d'avoir des amis, et son mariage avec Anna n'a été qu'un acte de raison, accompli par conformisme social, auquel il ne s'est que difficilement résigné. Toutes ses relations humaines ont été pour lui « encloses dans certaines frontières bien définies par l'habitude et la coutume[18] ». Sa vie religieuse manquait de « toute profondeur », ainsi que le décrit Tolstoï. « Il ne voyait rien d'impossible ni d'absurde dans l'idée que, ayant lui-même la vraie foi, dont il déterminait au reste la mesure, il ne donnait plus place au péché[19]. » C'est même cette forme purement extérieure et superficielle de religion qui l'empêche finalement de pardonner à Anna, après que celle-ci, affamée d'amour, eut succombé à l'art de la séduction du vaniteux Vronski : au lieu de consentir avec une certaine noblesse de cœur à un divorce, unique solution pour résoudre le drame, il se retranche derrière le paragraphe des préceptes religieux, jusqu'au moment où son épouse, complètement désespérée, finit par se donner la mort. « Ce n'est pas un homme, déclare à son propos Anna à Vronski, c'est un automate [...]. Ce n'est pas un homme, c'est une machine ministérielle. Il ne comprend pas que je suis ta femme, qu'il est un étranger pour moi, qu'il est de trop[20]. » Au sens de la morale, Anna est certainement coupable, mais l'innocence de son époux est plus coupable encore. Pour sauver ce qui aurait pu l'être de son couple menacé, il aurait dû s'avouer une vérité qui aurait détruit toute sa vie : les tâtonnements de l'amour peuvent être plus humains que la correction d'une âme rigide incapable d'agir de façon vraiment libre.

Aucun doute qu'aujourd'hui encore lois et institutions ne soient du côté des Karenine. Mais un ordre humain véritable, et à plus forte raison divin, se devrait de laisser une chance de vivre à Anna Arkadievna. Si l'on pouvait, par un remède, éviter toutes les infidélités des amoureux, expliquait déjà en 1900 Arthur Schnitzler, le grand écrivain de l'amour malheureux, dans sa petite parabole *Les Trois Élixirs*[21], ce remède tuerait la vie même ; mais, si c'est exact, le contraire est aussi valable : l'amour vit de la nécessité et de la capacité de vouloir *sans condition* le bonheur de l'autre, serait-

18. Léon TOLSTOÏ, *Anna Karenine*, Stock, coll. « Le Livre de poche », 1972 (2 vol.), t. II, p. 94.
19. *Ibid.*, p. 99.
20. *Ibid.*, t. I, p. 464.
21. A. SCHNITZLER, « Die Drei Elixire » (1890) in : *Gesammelte Werke in Einzelausgaben*. Das Erzählerische Werk, Fischer Tb. (1960), p. 87-91.

ce même à travers une nouvelle forme de partenariat, à la suite de l'effondrement innocent-coupable des conceptions et des espérances que l'on a, concernant le bonheur.

Que signifient donc « amendement » et « réparation » ?

Aujourd'hui, cent ans après la mort de Léon Tolstoï, c'est toute l'Église qui se trouve devant le choix de Karenine. Elle qui attend et exige des époux une capacité totale de pardon mutuel dans leur vie privée se montre elle-même toujours aussi incapable de pardonner l'échec d'un mariage. Elle pardonne à une religieuse qui rompt ses vœux « perpétuels » pour épouser un jeune homme ; elle pardonne à une prostituée qui fait « pénitence » et qui entre dans un ordre ; elle pardonne au meurtrier et au voleur. Mais elle refuse le pardon aux deux époux qui échouent, le plus souvent contre leur volonté, et du fait d'un mélange de liberté et de contrainte, de culpabilité et d'arrêts du destin. Elle déclare qu'on ne peut leur pardonner tant qu'ils ne se seront pas « amendés » et n'auront pas « réparé ». Mais si « s'amender » a justement consisté à trouver la force nécessaire pour quitter un couple devenu invivable, que peut alors signifier « réparer » ? Si la meilleure forme de « réparation » consiste justement à rendre l'autre au libre cours de sa vie, au lieu de lui barrer la route par sa propre personne, que signifie « s'amender » ? Et même si une petite part de culpabilité subjective a conduit à retrouver le bonheur dans un nouveau mariage, avec tout ce qu'il comporte de devoirs et de liens humains, y aura-t-il « réparation » dans le fait de fustiger ce que peut comporter de bon cette nouvelle union, en la menaçant des foudres divines, en tentant ce qui est humainement impossible, la résurrection d'un amour mort depuis des années, autrement dit le renouvellement d'un mariage qui ne repose plus sur aucun fondement, sinon un attachement rigide à la loi ? Sans aucun doute, en matière de divorce et remariage des époux divorcés, l'Église ne saurait maintenir sa position intransigeante contre le divorce et le remariage que dans la mesure où elle persisterait à toujours interpréter la Bonne Nouvelle de Jésus-Christ de telle façon que l'exigence divine de réconciliation reste inconciliable avec l'exigence d'humanité. Contre sa propre conviction, elle devrait renier le Dieu qui écrit droit avec des lignes courbes ; elle devrait fustiger le roi David et lui opposer l'absurde théologie de la justification d'un Ézéchiel suivant laquelle Dieu récompense celui qui se repent et châtie le déviant (Ez, 18, 1-29), comme s'il était possible de distinguer à brûle-pourpoint ce qu'il y a de bon et ce qu'il y a de mauvais dans l'homme, au lieu de reconnaître sans cesse la présence de Mr Hyde derrière chaque Dr Jekyll, ou tout au contraire celle de Paul en attente derrière celle de Saül. L'Église se permet encore d'écarter de tout service d'Église comme « donnant le mauvais exemple », « déshonorant », *inhonestus*, celui qui, en dépit de ses efforts, a vu échouer son mariage ; elle interdit encore la communion à celui qui a trouvé son chemin vers Dieu dans un nouveau couple. Mais elle est pourtant liée, elle aussi, par la parole que Jésus adressait aux pharisiens dans l'évangile de Matthieu : « Je vous le dis : il y a ici plus que le Temple. Si vous aviez compris ce que signifie "je veux la miséricorde et non le sacrifice", vous n'auriez pas condamné les innocents » (Mt 12, 7). Il faudrait encore ajouter[22] :

22. On pourra se faire une idée de la situation officielle en lisant la lettre de Mgr J. J. DEGENHARDT, archevêque de Paderborn, sur « La Pastorale des divorcés remariés », adressée à « ses confrères dans le ministère sacerdotal ». On y apprendra que, en 1977, onze pour cent des catholiques régulièrement mariés à l'Église étaient divorcés. Mais on y insiste sur l'impossibilité de confier aucune tâche d'Église aux divorcés remariés, de leur donner l'absolution ou de les admettre à la communion. On y concède au passage que, « selon la pratique de l'Église » on « peut » les admettre aux sacrements « au for interne », si on peut être « assuré qu'il n'en résultera aucun dommage » et si on a « des raisons morales de penser le mariage canoniquement nul », alors même qu'on ne peut produire celles-ci. Parmi ces « raisons », au sujet desquelles les officialités ecclésiastiques sont toujours extrêmement exigeantes, il y a les défaillances psychiques telles que l'incapacité névrotique de fidélité conjugale, l'homosexualité (Code de droit canon, 1081), ou la pression de la peur ou de la crainte (1087). Dans certains cas, les choses sont laissées largement à l'appréciation du pasteur. Mais, de fait, il n'est pas rare de trouver des mentions de ce genre : « De l'avis du prêtre catholique, cette veuve de quarante-neuf ans vit en concubinage. Le prêtre lui a refusé la sainte communion. L'ordinaire de l'archevêché de Paderborn déclare que ce refus était "du devoir du prêtre". » Cette femme est veuve depuis cinq ans et demi. Au début du mois de juillet, lors d'une messe pour sa mère défunte, elle s'avança pour recevoir la communion, mais, de l'autel, le prêtre la lui refusa. Selon la veuve : « le prêtre m'a dit : "ça ne va pas", et il m'a laissée plantée là. Mes enfants et moi avons été très choqués ».

« Vous pourriez pardonner aux pécheurs, cessant ainsi de considérer le Temple de Dieu comme plus important que le Dieu désireux d'établir sa demeure dans le cœur de l'homme comme dans un temple. »

La femme quitta l'église en pleurant. Elle apprit par le journal que, selon le curé, « elle ne pouvait recevoir le sacrement en tant que pécheresse publique ». Cette pécheresse publique aux yeux de l'Église catholique est l'amie d'un homme avec lequel elle ne vit pas. Pour le prêtre, il s'agit pourtant de concubinage. Cette femme entend tirer les conséquences de ce renvoi en quittant l'Église catholique. Elle est prête à rendre compte de ses actes devant Dieu, mais non devant le curé de Herne, déclare-t-elle dans la revue *Frankfurter Rundschau* du 28 juillet 1981.

« ATTENDS QUE TON PÈRE REVIENNE ! »

Crises liées à des souvenirs d'enfance au lendemain de la guerre

La loi des effets différés, ou : du courage personnel.

Que ce soit en tant que conseiller spirituel ou que thérapeute, on ne cesse de se heurter à certains conflits types, en particulier chez des femmes d'environ quarante ans. Au premier abord, on pourrait croire qu'il s'agit de problèmes propres au milieu de la vie : insatisfaction dans le mariage, déception à l'égard de l'époux ou plus globalement de la situation familiale, ou de la situation professionnelle ou sociale faite à la femme ; nouvelles amitiés, venant provoquer quelque excitation ; questions lancinantes et pressantes sur le sens et la valeur de la vie ; apparition d'angoisses diffuses et de symptômes psychosomatiques ; en tout cela, rien de dramatique au premier abord, mais un malaise croissant qui finit par s'accentuer au point de devenir dangereux et d'exiger à tout prix une solution. La description que la personne donne de ses problèmes semble d'autant plus étrange qu'apparemment sa vie semble en ordre et qu'à considérer objectivement sa situation elle semble plutôt digne d'envie que de compassion. D'où viennent donc ce sentiment de vie insupportable et cette excitation chronique ? Rien de frappant dans la personnalité de ces femmes, aucun trait névrotique qui saute aux yeux. Leurs souvenirs ne laissent rien entrevoir de particulier : leur enfance a été celle de millions d'autres enfants. D'où viennent donc cette inquiétude et cette angoisse, cette façon de se cogner partout, cette souffrance ressentie devant une réalité en soi très ordinaire ?

Il faut vraiment regarder de près sous le vernis de plusieurs décennies d'une destinée absolument normale, pour découvrir les traces d'une tragédie enfantine extrêmement aiguë, depuis longtemps finie. Habituellement, derrière un conflit névrotique ou névroïde, on peut toujours retrouver la situation originelle qui l'a déclenché ; mais là, apparemment, rien de tel. On a beau fouiller et refouiller avec la meilleure volonté du monde les données biographiques, rien ! L'insignifiance des souvenirs remontant à la première enfance finit par en devenir suspecte : cela n'a décidément pas pu se passer d'une manière aussi anodine !

Qu'est-ce qui conduit donc cette personne à falsifier tout son passé en solde positif, tant à ses propres yeux qu'à ceux du thérapeute ? D'où vient ce sentiment de honte, cette gêne extrême, cette défense fanatique à l'idée d'évoquer certains souvenirs d'enfance ou d'adolescence, cette façon qu'ont certaines personnes de tourner autour du pot, alors qu'au départ on ne saurait le moins du monde douter de leur sens du réel ? D'où vient cette angoisse soudaine, ou même ce furieux interdit ne serait-ce que d'approcher de loin certains détails de la vie familiale des parents ?

Parvient-on à percer les défenses de toute une série de tabous privés, de blocages marqués par la peur, de ruses et de feintes continuelles, de fuites et de gauchissements, on découvre peu à peu un drame terrible, dont le scénario remonte aux premières années de l'enfance, entre cinq et huit ans, au temps de la phase œdipienne et de sa conclusion : scénario dont la lecture apparaît d'autant plus étrange qu'il n'avait jamais été destiné à parvenir à la conscience. Tout souvenir en était soigneusement interdit, ou n'était tout au plus autorisé qu'avec la mention si fréquente de maints génériques de films, au cours des années cinquante : « Toute ressemblance avec des personnes ou des situations réelles est purement fortuite. » On n'en commence pas moins à subodorer que le principal acteur de cette pièce enfantine pourrait bien être le père, c'est-à-dire la personne qu'on protège le plus, qu'on vénère le plus, qu'on craint le plus et qu'on hait le plus. Le génie de Freud a consisté à découvrir le complexe d'Œdipe au cœur de toutes les névroses, thèse qui n'acquiert généralement sa valeur d'exclusivité que dans les cas d'hystérie. Et pourtant ici, en dépit de l'absence de tout symptôme névrotique spécifique, c'est bien l'ombre du père, et de lui seul, qui est venue se projeter traumatiquement sur le jeune enfant, et qui continue depuis à assombrir toute sa vie. Il n'est question que de lui, et c'est contre lui seul qu'on se bat. Mais la résistance qui vient encore aujourd'hui faire obstacle à la guérison fait ressembler le traitement thérapeutique à ce combat, si souvent évoqué dans des contes, au cours duquel le héros doit tuer un dragon à sept têtes pour arracher à ses griffes la jeune fille envoûtée.

Si nous traitons explicitement ici du sort de ces femmes, c'est bien parce qu'elles n'osent évoquer que timidement et avec hésitation les souvenirs de leur père datant d'avant ou d'après la guerre. Car, s'il est quelque chose qu'elles ont bien mérité, c'est l'estime dont elles jouissent. C'est bien la force de leur personnalité, leur courage, leur bravoure, leur capacité de sacrifice et leur patience qui leur ont permis de vivre des décennies dans le corset de la discipline, en portant de trop lourdes responsabilités, venues trop tôt. Quelle incroyable ténacité, quelle intelligence aiguë et quelle farouche volonté de vivre ne leur a-t-il pas fallu pour endurer les conséquences du tremblement de terre qu'elles ont dû vivre, voici quelque trente-cinq ans ? L'incompréhension dont leur voisinage fait preuve à leur égard n'en est que plus injuste lorsque, à quarante ans, elles sont au bord de l'effondrement, et que leur entourage en arrive à les regarder en hochant la tête comme si elles étaient des ratées. Pour aider à comprendre la nature si particulière de ce genre de conflits psychiques chez ces femmes marquées par la guerre, mais hors d'état d'en parler, nous voudrions dépeindre en quelques traits ce que cela a pu signifier pour tant d'entre elles, d'être venues au monde dans des familles en soi tout à fait normales, en Allemagne, vers 1940, et, à la simple question d'enfant : « Où est papa ? », de s'être toujours entendu répondre : « Ton papa est à la guerre », et « Attends que ton père revienne ».

La mère et l'esprit du temps.

Pour comprendre ces enfants de jadis, ces femmes de maintenant, il faut se mettre à la place de leur mère. À l'époque où les troupes hitlériennes paradaient sur le Ring de Vienne, la plupart d'entre elles étaient encore jeunes, membres de l'*Association des jeunes filles allemandes*. Amoureuses insouciantes, elles s'étaient mariées à l'époque où l'« Allemagne » les envoyaient à la conquête du monde.

Leurs maris rêvaient d'être les pionniers d'un Reich millénaire, et d'une « germanité » à laquelle elles croyaient. À cette époque où l'« esprit » des « temps nouveaux » était marqué du terrible « malheur aux faibles », santé, jeunesse et force semblaient aller de soi. En ce temps-là, donner la vie à un enfant n'avait rien d'un événement privé : c'était un devoir national, un haut fait patriotique. On décorait d'une médaille les femmes qui se montraient les plus « fécondes », et la joie redoublait lorsque le nouveau-né était un garçon. Sans doute était-il permis de naître fille, mais ce n'était pourtant que du second choix ; et, dès le berceau, on se chargeait d'inculquer à l'enfant de quelle infériorité il s'agissait. En ce temps-là, il allait de soi que l'éducation était l'affaire de la mère, les hommes consacrant leurs heures supplémentaires à la construction de la Grande Allemagne. Lorsque les pères rentraient chez eux, il n'y avait plus qu'une chose qui comptât dans la maison : leur repos, bien mérité, leur détente ; finis les disputes, les cris, le tapage et les courses endiablées ; quand il rentrait à la maison, papa était fatigué, et il voulait être tranquille pour lire les derniers événements mondiaux que présentait le journal ou écouter les nouvelles à la radio. Mais voici qu'un jour papa était parti et il n'était plus revenu à la maison : c'était la guerre.

On n'a cessé de répéter que le déclenchement de la Seconde Guerre mondiale n'avait pas connu ce tourbillon d'enthousiasme et d'exaltation qui avait saisi le peuple en 1914[1]. C'est globalement vrai ; mais, psychologiquement, ce n'était que très partiellement le cas de toutes ces femmes dont les maris formèrent les vagues de recrues à partir de 1939. L'adieu à leurs époux était évidemment empreint d'anxiété et d'angoisse ; mais c'était aussi un au revoir « plein de fierté », et pour une brève durée, on en était certain. Bien sûr, on avait entendu parents et beaux-parents évoquer l'horreur de la guerre, de l'hiver des rutabagas et de Verdun. Mais qui

1. Dans *Le Monde d'hier*, Stefan ZWEIG décrit ainsi la différence entre 1914 et 1939 : « En 1939, cette foi presque religieuse en l'honnêteté, ou tout au moins en la capacité du gouvernement avait disparu dans toute l'Europe [...] On allait au front, mais on ne rêvait plus d'être un héros ; déjà les peuples et les individus sentaient qu'ils n'étaient que des victimes ou de quelque folie humaine et politique, ou d'une fatalité insondable et maligne » (trad. J.-P. Zimmermann), p. 166-167.

pouvait croire que cela recommencerait, que ce pourrait même être pire ? Même au moment du déclenchement de l'opération « Barbarossa », en 1941, on se promettait le retour à la maison pour Noël. Tel était l'espoir qui animait toutes ces femmes qui voyaient partir leurs maris : enflammé devant les succès de la « guerre éclair », à l'est comme à l'ouest, torturant au long des heures d'attente désespérée. Rien ne pouvait l'atteindre, pas même les « malheurs » chez les connaissances les plus proches. Quelle est d'ailleurs la femme qui aurait pu donner libre cours à sa douleur, en apprenant la mort ou la disparition de son mari, à l'époque où c'était un devoir de se saluer dans la rue d'un vigoureux *Heil Hitler !* et dans les réunions d'un triple *Sieg Heil !*

Et il faut bien se représenter ce qu'était la vie quotidienne sur le « front de l'intérieur ».

Jusqu'en 1942, l'existence extérieure parut sans menace. Mais qui peut s'imaginer aujourd'hui le caractère déchirant de l'attente impuissante de l'homme qu'on aime et que l'on sait en danger de mort permanent ? Chaque matin, on guette le facteur ; quand on ouvre la boîte aux lettres, on tremble d'y trouver une lettre de la poste aux armées, et quand il y en a une... mon Dieu ! Que va-t-elle dire ? Pourvu que ce ne soit pas une blessure, ou pire encore ! Pourvu qu'elle ne parle pas de redoublement de la bataille ou d'un commencement de déplacement de troupes ! Et puisque le courrier est soumis à la censure militaire, dans quelle mesure peut-on faire confiance aux nouvelles du mari ? On lit et relit sans fin les lignes, beaucoup trop courtes pour en pénétrer le sens secret. On connaît finalement bien la retenue de celui qu'on aime : jamais il ne parlera clairement de ses difficultés, car cela ne ferait qu'attiser vainement la torture de son épouse, impuissante à l'aider. Et ces entretiens avec les voisines, au marché du matin. L'une aura bien entendu parler d'une nouvelle victoire, ou d'une nouvelle défaite, peut-être justement à l'endroit où l'on suppose que se trouve son propre mari. Une autre a reçu un faire-part laconique lui disant que, depuis une certaine date, son époux a disparu, ou qu'il est prisonnier. Mais qui sait comment cela se passe, chez les Russes ? On tourne désespérément les boutons de la radio, mais, on le sait bien, toutes les nouvelles sont filtrées par la propagande, et personne ne parle jamais de la seule chose qu'on voudrait connaître : le sort de son mari.

Même les rares jours de « permission » ne permettent aucun relâchement de cette torture corrosive. Impossible de se décharger de tous les sentiments mis en réserve pendant des mois, tant on ressent l'obligation de rendre aussi agréable que possible dans un si bref laps de temps la vie de celui qui est enfin revenu. Pas de faiblesse ! Pas de sentimentalité ! Pas de question fâcheuse ! On prend dans ses bras un homme que l'on n'a souvent pas vu depuis un an, dont les pensées et les façons de faire vous sont devenues étrangères, qu'il faudrait au fond réapprendre à connaître ; raison de plus pour se manifester l'intimité et la complicité d'autrefois, à défaut de pouvoir les ressusciter. Ce n'est pas par légèreté qu'on fait des enfants, mais pour se prouver l'un à l'autre que, en dépit de tout, on s'appartient sans retour.

Mais voici que le mari est déjà reparti, et la torture de l'attente recommence, pire qu'auparavant. Qui viendra protéger l'enfant que l'on porte ? Les nouvelles empirent. On entend parler de violents combats défensifs dans telle ou telle zone, de pertes importantes dans une poche, d'offensive brisée. L'inquiétude, l'angoisse n'ont pas de cesse. Même le temps de repos n'est pas sans danger : que font les soldats, quand ils sont dans une ville conquise où ne sont restés que des femmes, des enfants et des vieillards ? C'est en vain qu'on tente de se chasser de la tête ces soupçons torturants : ils ne veulent pas céder. Nuits sans sommeil, à tourner et à retourner ces idées usantes, peut-être sans fondement, mais hélas humainement trop fondées. Est-ce qu'on ne voit pas des choses similaires dans son propre village ? Est-ce qu'on ne s'interdit pas les plaisirs les plus innocents, simplement pour fuir certaines opportunités ? Est-ce qu'on ne choisit pas inconsciemment les vêtements les plus ternes, plus encore que ce ne serait nécessaire ? Il suffit cependant de quelques contacts fugitifs pour déclencher un orage difficile à calmer. Ne serait-il pas possible de parler enfin tranquillement avec un homme ? Mais avec qui ? Avec qui sans danger ? Le besoin apprend à prier, dit le proverbe ; mais si la croix pendue au mur parvient à consoler un instant, elle ne parvient pas à vaincre la tristesse, le désir, l'indicible et quotidienne tension nerveuse qui voudrait se décharger n'importe comment.

Mais ni droit ni possibilité de penser à soi. À partir de 1943, la situation dans les grandes villes s'altère dramatiquement. Des quartiers entiers sont réduits en cendres, et on peut voir anéanti en quelques minutes sous une pluie de bombes ce que l'on a mis des années à accumuler comme fondement d'un modeste bonheur. Évacuations, transferts de populations, déménagements, réquisitions dans les usines, déblaiement des décombres : tel est l'ordre du jour. Finalement, chaque jour se transforme en combat pour le pain quotidien. Et une fois de plus, à cette époque où la surexcitation est « normale », ce sont avant tout les plus modestes qui sont le plus accablés : voici qu'on doit soudain évacuer tout un quartier de la ville, et cette jeune femme seule, de tout juste vingt-cinq ans, doit se rendre avec ses deux ou trois enfants chez des parents éloignés, à la campagne. Dans de telles circonstances, ce seul changement d'environnement, événément en soi relativement bénin, constitue un véritable choc : on perd l'appui des quelques personnes auxquelles on s'était encore davantage lié, en ce temps de malheur ; après des années de liberté et de fierté péniblement gardée, voilà qu'on se trouve soudain réduit au rôle humiliant de mendiant, d'hôte qu'on supporte, et la meilleure volonté ne peut effacer l'impression qu'on est à charge. Cette situation conflictuelle rebondit sur les enfants : il leur faut à tout prix être « courageux », éviter de passer pour des importuns.

Puis vient le temps de l'effondrement. Pour des millions de gens, cela signifie fuite, expulsion, famine, maladie, recherche désespérée de nourriture, de toit, marché noir, salaire au jour le jour, chaque jour empli de nouvel effroi. Désormais, les enfants chéris sont soudain de trop pour la mère la plus aimante. On ne sait plus de quoi vivre, de quoi se vêtir. Dans cet inévitable tohu-bohu, le temps, le calme qui seraient indispensables à une éducation harmonieuse font totalement défaut. Et par-dessus tout plane la nécessité quotidienne. Les femmes les plus soucieuses de droit et de morale sont celles qui connaissent le plus grand embarras. Ne serait-il pas possible de tirer de ce que l'on a un peu plus au marché noir, de gratter un peu plus en faisant du porte-à-porte ? En se montrant un peu plus affable, on tirerait bien quelques boîtes de conserve de ce *GI* venu d'un pays de cocagne. Mais que dira le mari quand il reviendra ? Reviendra-t-il seulement ? Et quand ? Et dans quel état ?

Ainsi, pour ces femmes, le temps n'était-il qu'un perpétuel répit. À la moitié de la guerre, l'attente d'une prochaine victoire s'était déjà peu à peu muée en « espérance » d'une rapide défaite. Mais, au milieu de toutes ces désillusions et de ces angoisses, le plus effrayant, c'était le sentiment d'une vie constamment volée, irréelle. La vie véritable, l'existence authentique ne cessait de s'estomper dans un futur toujours plus lointain avant lequel il ne servait à rien de vivre : il fallait seulement survivre, à n'importe quel prix. On ne vivrait vraiment que lorsque le mari serait rentré de la guerre. C'est en cette hantise que se résumaient les attentes de centaines de milliers de femmes ; cette idée était leur seule consolation. Le retour du mari ! Ce n'était pas qu'un espoir ; c'était la perspective d'un retournement magique du mal en bien. Et les enfants ? Ils grandissaient à l'ombre de cette réalité irréelle, et ce qui devait les faire le plus souffrir, c'était ce qu'on pourrait qualifier de mensonge attentionné ou de ménagement mensonger, sorte de double fond de l'existence qui la rendait tout entière incertaine.

La double réalité.

Que se passe-t-il chez une fillette qui voit sa mère pleurer ? Si elle aime sa mère, elle cherchera à la consoler : « Il ne faut pas que tu pleures », lui dira-t-elle, et elle ressentira alors ce qu'elle ne sait pas dire : « Si tu continues à pleurer, moi aussi je serai très triste ; je devrai alors penser que je suis responsable de ton chagrin, ou que je suis une ratée totale, puisque je suis incapable d'arracher à sa détresse la personne qui est la plus importante pour moi. » Sentiment de culpabilité et de dépression : telles sont les premières conséquences de la tristesse de maman.

Mais que peut penser une fillette lorsque sa maman lui explique que sa tristesse n'est pas du tout liée à son enfant, mais au fait qu'un homme, qu'elle n'a jamais vu, son père, n'a pas écrit depuis des semaines ?

Elle doit se dire que cet homme inconnu doit avoir un pouvoir extraordinaire, et est sûrement plus important que tous les autres hommes qu'elle peut connaître. Un inconnu capable d'avoir une influence aussi incompréhensible sur sa mère doit bien avoir quelque chose de mystérieux et de secret. Peut-être se rappelle-t-elle vaguement la dernière visite d'un homme étrange soudain surgi de l'extérieur, qui a déclenché en elle une peur panique, parce qu'il était si pressant et qu'il voulait à tout prix la prendre dans ses bras et la caresser de ses grandes mains. Est-ce vraiment pour cet être si peu sympathique, pour ce garçon bruyant, que sa mère pleure ? Pourtant il arrive que le soir, au moment de la prière, on implore avec insistance le bon Dieu de faire revenir cet homme, ou que la mère montre une image sur le mur et explique avec insistance : « C'est ton père. » Souvent, elle ne peut faire plus grand plaisir à sa maman qu'en l'interrogeant sur lui : celle-ci en est toute touchée, et elle lui déclare qu'elle est une bonne fille. Chaque fois qu'elle demande quelque chose, qu'elle exprime un vœu auquel sa mère ne peut répondre, ou quand celle-ci se heurte à une difficulté qu'on ne peut pas comprendre, sa mère lui répète toujours les mêmes mots : « Attends que ton père revienne. » Et : « Quand ton père reviendra, tout ira bien. »

Il peut aussi arriver que la maman soit furieuse pour un rien, ou que, perdue, désespérée, elle pique une crise de nerfs, puis se mette tout d'un coup à déclarer : « Attends que ton père revienne ! » Le ciel aussi bien que l'enfer, la béatitude aussi bien que la torture, le bonheur sans fin ou une nouvelle crise de panique, les réactions les plus contradictoires et les extrêmes opposés : tout semble également suspendu à cet homme. Dans la tête de l'enfant, son image acquiert une importance disproportionnée. *Bien avant de le savoir*, elle condense sur cette personne toutes ses espérances importantes et toutes ses craintes, et on devine qu'il se passe là quelque chose de décisif. Au cours des années, et en raison même de son absence, la personne du père inconnu devient infiniment plus présente que la personne « véritable ». Le personnage invisible appartient à un monde parallèle, ou à un arrière-monde, à la fois plus éclatant et plus sombre que tout le visible. Sa *présence manquante* le rend plus présent que tout l'entourage.

Prises en elles-mêmes, les attentes ainsi liées au retour du père non seulement sont extrêmement ambivalentes, du fait qu'elles font partie d'une réalité fantasmagorique à côté du réel, elles sont de plus chargées des troubles qu'ont éprouvés les enfants de cette époque.

Le premier trouble vaut particulièrement pour les filles ; elles ont bien senti qu'on aurait préféré qu'elles soient garçons. On les grondait pour des « gamineries » qu'on qualifiait d'« impertinences » et d'« insolences ». De plus, l'angoisse sexuelle de leur mère, due aux conditions de l'époque, leur valait une éducation particulièrement répressive. Il est clair qu'elles se sentaient en conséquence désavantagées, injustement traitées, et le désir qu'elles avaient alors de devenir grandes ne devait jamais plus s'éteindre complètement.

Mais c'est tout le domaine de la joie et de la tristesse qui se trouvait dédoublé. Leur propre mère pouvait s'être montrée amicale avec une voisine, lui avoir parlé en riant, et à peine avait-elle franchi le seuil de la maison qu'elle fondait en larmes ; ou bien elle pleurait, mais expliquait ensuite qu'elle avait des raisons d'être heureuse, mais qu'il y en avait d'autres qu'on ne pouvait pas comprendre. Ainsi la mère suscitait-elle sans cesse un sentiment d'incertitude et d'angoisse, et même, en un certain sens, de responsabilité infinie : il fallait de quelque façon la consoler et la calmer, sans cependant savoir comment. Si on lui demandait ce qu'il fallait faire, elle répondait de façon très vague qu'il fallait être gentil. Mais on avait beau se donner du mal pour cela, on n'arrivait jamais à faire ce qu'il fallait, et on ne s'en sentait que plus coupable. Surtout, il y avait toute cette misère extérieure croissante, éventuellement la hantise insupportable des conditions d'habitation, d'une évacuation dans une sous-location, chez des gens absolument étrangers, souvent hostiles : toutes choses qui renforçaient le sentiment d'être à charge de la mère, du simple fait d'exister. On avait beau faire tous les efforts possibles pour être sage, tranquille, travailleuse, pour s'adapter et pour se montrer gentille, pas moyen de chasser cette impression de ne causer à la mère que désagrément, chagrin et difficultés.

Ce sentiment de culpabilité, profondément dépressif, l'impression de n'être rien au monde, ou tout au moins d'avoir à faire tout son possible pour compenser son tort d'exister, est bien la caractéristique profonde de ce cercle vicieux dans lequel un enfant de cette époque était normalement destiné à grandir.

Ce qui pouvait également apparaître comme une lueur d'espoir et comme une consolation, c'était l'idée que tout changerait sûrement avec le retour de papa : les soucis de logement, les difficultés matérielles, la situation d'étranger chez les autres, tout, vraiment tout. On pouvait aussi espérer voir s'effacer cet étouffant sentiment de culpabilité, cette impression lancinante d'une existence injustifiée : il suffisait que papa revienne. Dans l'imagination de l'enfant, le père, cette personne en réalité parfaitement inconnue, s'avançait comme un chevalier venant la délivrer, non seulement de la misère extérieure, mais surtout de cette oppression morale du perpétuel sentiment d'être en faute. Ce n'est qu'après son retour qu'on pouvait s'attendre à voir la vie se faire un peu plus légère. Quoi d'étonnant si on aimait et respectait, craignait et haïssait, attendait et maudissait à la fois cet homme immense, lointain, mystérieux, et cela bien avant d'avoir pu le voir consciemment pour la première fois ?

Si c'est le propre de la divinité que de provoquer cette extrême ambivalence du sentiment à son égard, le père constituait vraiment un personnage divin pour les enfants de ce temps, en particulier pour les filles.

Mais quel effet cela fait-il quand un Dieu rentre à la maison de petits mortels ?

Le retour de Jephté.

Dans la Bible, il y a un petit récit qui raconte le retour de Jephté, le juge, fils d'une prostituée et de Galaad, qui avait été chassé par les siens et s'était établi dans le pays de Tob où il avait assemblé autour de lui un groupe de « gens de rien ». Cependant, un an plus tard, quand les Ammonites déclenchèrent une campagne contre Israël, les Galaadites vinrent le rechercher pour commander la bataille contre Ammon. Jephté fit alors un vœu : si Yahvé lui livrait vraiment les Ammonites entre les mains, il offrirait en sacrifice la première personne qui franchirait le seuil de sa maison à son retour. Effectivement, le Seigneur lui livra les Ammonites et il les poursuivit depuis Aroër jusqu'à Minnit et Abel-Keramin. Revenant chez lui, à Micpé, il vit sortir à sa rencontre son unique enfant, sa fille, dansant au son du tambourin pour célébrer sa victoire et son retour. Consternation générale ! Après s'être retirée avec ses amies deux mois dans les montagnes pour pleurer sa virginité, elle revint chez son père, et celui-ci accomplit sur elle l'horrible vœu qu'il avait prononcé (Jg 11, 1-40).

Une fille qui court pleine de joie à la rencontre de son père qui revient de la guerre et que celui-ci offre sur l'autel d'un Dieu guerrier ; cette scène présente l'archétype du héros guerrier, tel qu'on le retrouve constamment : lors de son retour de la guerre de Troie, Idoménée est pris dans un terrible ouragan et fait à Poséidon, le dieu de la mer, un vœu comparable à celui de Jephté ; lui aussi, à son arrivée chez lui voit venir à sa rencontre, les uns disent son fils, d'autres sa fille[2]. On connaît aussi l'histoire d'Agamemnon qui, en Aulide, est prêt à offrir sa fille Iphigénie à la déesse Artémis pour qu'elle envoie à la flotte athénienne le vent favorable lui permettant de cingler vers Troie[3]. Ce sont toujours les enfants, en particulier les filles, qui sont sacrifiés au succès guerrier de leur père, et c'est précisément lorsque la guerre semble sur le point de prendre fin qu'elle exige le pire, le tribut personnel ; ou plus exactement, elle révèle ce qu'elle a fait du père en lui donnant le succès des armes : c'est ce père qui revient, celui qu'on attend avec joie, qui se révèle être le plus grand danger, le meurtrier potentiel de sa fille.

Pour comprendre le caractère récurrent et l'extraordinaire pertinence psychologique de ce type, dans la vie de la génération de la guerre ou de l'après-guerre, toujours vivante, il faut se mettre à la place de ces hommes qui reviennent chez eux, après « mille jours dehors, dans le froid[4] », et qui, même s'ils retrouvent un foyer, au sens matériel, ce qui était rare, ne se retrouvaient pas vraiment chez eux et ne pouvaient plus l'être nulle part. En leur personne, leurs enfants attendaient le retour d'un dieu, mais intérieurement, ils étaient en réalité déchirés, vidés, ravagés. Ils avaient vu s'effondrer de terrible manière l'idéal auquel ils avaient si longtemps cru avec fanatisme et auquel ils avaient tout sacrifié ; ils n'y voyaient plus qu'un mensonge creux, un crime horrible contre l'humanité. Par amour de certains mots flous tels que « Patrie », « Führer », « Fidélité », on avait effroyablement trimé, peiné, souffert, et tout cela parfaitement en vain, ou même pour en arriver au pire. Trompés, exploités, désespérés, amers, psychiquement pétrifiés par le souvenir torturant de la chaîne sans fin de bassesses et d'horreurs de six années de guerre, il leur aurait fallu des années pour arriver peu à peu à rebâtir sur ce passé désolé et pour

2. K. Kerényi, *Die Mythologie der Griechen*, Munich, 1958, t. II, p. 254.

3. *Ibid.*, p. 258-259.

4. W. Borchert : *Draußen vor der Tür*, dans *Das Gesamtwerk*, Hambourg, 1959, p. 102.

retrouver un certain équilibre intérieur. Et voilà qu'au lieu de cela, on leur demandait sans autre forme de procès d'abjurer l'« idéal » du national-socialisme et de renoncer à tout ce qu'ils avaient été. Déshonorés, humiliés, ils n'étaient plus que ruine, intérieurement et extérieurement, et s'ils étaient encore en état de prendre une décision personnelle, ils ne pouvaient consacrer le dernier sursaut de leur honneur perdu qu'à fonder à neuf une famille et à arracher comme par un coup de baguette magique les leurs au néant. Plus que tout, il aurait fallu aux époux des années de patients entretiens pour se refaire l'un à l'autre, pour reconstruire la confiance, après tout ce temps de séparation, pour s'avouer combien on était devenu étranger l'un à l'autre et pour réapprendre à vivre avec cela.

Mais de cela, pas question.

La reconstruction de leur existence extérieure usait toute leur énergie et, du simple fait de chercher à tout prix à survivre, on ne pouvait que manquer l'occasion décisive de réapprendre à se connaître vraiment du tout au tout. Celui qui venait de rentrer de six années de guerre devait se montrer mari, et celle qu'on venait de retrouver après six années d'absence devait fonctionner comme épouse. On ne parlait jamais du passé ; on ne faisait que chercher à y échapper désespérément par une sorte d'amnistie générale ; on était heureux de la grâce qu'on vous faisait de ne pas vous poser de questions sur ce qui s'était passé et on se mettait précipitamment d'accord pour ne plus considérer désormais que l'avenir. Tout cela ne faisant qu'engendrer un nouveau travestissement de la réalité, ce qui conduisait une fois de plus les enfants à perdre le sens du réel, mais cette fois-ci de façon encore plus déroutante.

Il fallait en effet avant tout maintenir le mythe qu'on s'était soi-même forgé, selon lequel tout irait mieux une fois le mari rentré. Rentré ? Il l'était désormais, et tout devait donc passer pour réglé, pour justifié. On devait dorénavant faire tout simplement fi de l'abîme géant qui s'était creusé entre l'attente passionnée et la déprimante réalité : ce mari, presque totalement inconnu au bout de ces six effroyables années de guerre, avait à être ce mari que l'on avait attendu. On devait se forcer à aimer ce qui paraissait digne de l'être dans un souvenir transfiguré : tel était le point de vue de la femme. Inversement, c'est avec fierté et émotion que le mari avait montré et montré encore, des centaines de fois, à ses camarades les photos de sa femme et de ses enfants ; c'était à cette image qu'il avait tout lié ; c'était pour elle qu'il avait continué à se battre, à souffrir, à espérer. Elle n'était évidemment que le fruit de son imagination, à cent lieues de la réalité, mais il ne pouvait s'avouer cette contradiction, avec cependant cette différence fondamentale qu'il pouvait se permettre beaucoup plus vite qu'une épouse, économiquement totalement dépendante de lui, de ne plus se gêner, de pousser des gueulantes de caserne à la moindre contrariété et d'imposer violemment sa volonté. C'était évidemment à la femme, et dans une grande mesure aux enfants, qu'incombait toute la charge de s'adapter en toutes circonstances à cette nouvelle vie de famille. Mais c'était par sens des responsabilités que les deux époux étaient les victimes d'illusions si longtemps caressées.

La femme avait soupiré après un mari que le froid et l'angoisse d'innombrables nuits solitaires et sans amour avaient délabré. Les songes perdus de la jeunesse, le souvenir d'un bonheur si tôt détruit, la sensation de tous ces mots qu'on n'avait jamais pu dire, tout cela se pressait maintenant impérieusement, mais ne faisait que ricocher sur cette masse gelée, glacée, à laquelle il avait fallu des mois pour cesser de se jeter dans son lit avec ses bottes, qui n'avait appris qu'à obéir et à commander, et qui entendait bien s'adjuger sans vergogne et défendre comme son bien ce dont il avait besoin. Un tel mari était incapable de remettre debout sa femme ; il ne pouvait que la faire plier ; il était hors d'état de la gagner, il ne pouvait la considérer que comme un bien qui lui revenait, en dépit de tous ses efforts pour comprendre, en dépit de toute sa bonne volonté. Il n'en résultait qu'une terrible déception.

De son côté, le mari avait attendu une femme qui le traiterait enfin comme une mère, qui le choierait, le dorloterait ; une femme qui, par sa tendresse et son amour, compenserait au centuple, et pendant tout le reste de sa vie, les cruautés et les souffrances de la guerre qu'il venait d'endurer[5]. Au

5. Exemple de cette attente : le dernier couplet du chant *La Brave Petite Femme du soldat* : « Aujourd'hui, je suis si loin de toi et de notre maison / Mais je sens que ton adieu m'accompagne / Je compte les jours qui me séparent de ma permission. / Alors, je te reverrai, toi et les

lieu de quoi il doit découvrir que, simplement pour survivre, il lui faut tout recommencer à zéro, qu'en dépit de son épuisement et de sa fatigue, il n'a pas le temps de se reposer, qu'il lui faut une fois de plus, et maintenant une dernière fois, serrer les dents et se faire violence. Il ne faut rien dire de ce que l'on a vécu, de ce que l'on ressent ; la seule chose à laquelle on puisse penser ensemble, ce sont les prochaines démarches à faire.

Et voilà maintenant les enfants, en particulier les filles, qui ont alors entre trois et dix ans.

Pendant des années, cette fillette s'est réjouie avec sa mère à la simple pensée du retour de son sauveur. Et voilà qu'un beau jour elle se trouve brutalement face à un homme totalement étranger, à l'aspect sauvage, en loques, qu'on doit appeler « papa » et qu'on doit même embrasser de tout son cœur sur des joues pas rasées. De façon pénible et gênante, cet homme cherche par tous les moyens à s'approcher de vous, mais on en a constamment peur et, pire encore, si peu qu'on exprime cette angoisse ou même qu'on éclate en pleurs, voilà que maman commence à rire, à moins qu'elle ne se mette en colère et ne commence à vous gronder.

Ce souvenir du père rentrant à la maison a presque régulièrement l'intensité d'un traumatisme.

« J'ai quatre ans, et je suis couchée, raconte une femme pour décrire cette première impression du retour de son père, et je vois soudain un énorme chasseur s'approcher de mon lit. Je commence à crier et je me recroqueville sous mes couvertures, mais il se penche vers moi, me tire à lui en riant, comme le fait l'ogre dans le conte du Petit Poucet. » « Je suis à ma table, dans la chambre, en train de jouer aux cartes, raconte une autre femme, quand je vois soudain un homme entrer dans ma chambre et me crier que je dois laisser la place en ordre. Je ne le connais pas et je cours à ma mère, mais elle est comme absente et m'ordonne de ranger les cartes. Je ne sais pas pourquoi. »

C'est toujours de façon similaire que les jeunes filles dites

enfants. / Tu te tiens sur le pas de la porte : / Alors, que le monde est beau, / lorsque la femme courageuse, pleine de bonheur, / prend dans ses bras son mari en *feldgrau* (gris-vert de l'uniforme allemand). / Brave petite femme du soldat, je sais que tu penses fidèlement à moi. » R. W. LEONHARDT, *Lieder aus dem Krieg*, Munich, 1979, p. 69-70.

de bonnes familles rapportent l'arrivée du père, rentré de guerre ou de captivité. C'est précisément le moment auquel elles ont aspiré comme à celui de la naissance du bonheur qu'elles perçoivent comme un événement traumatique.

Mais il y a pire encore, et plus lourd de conséquences : le dédoublement constant, ce mensonge qui forme désormais la trame de l'existence. Car il ne faut à aucun prix avouer combien la réalité est décevante, combien l'amour espéré pèse, combien la confiance est ébranlée, combien l'existence en commun peut demander d'efforts dans de telles conditions.

Quand une petite fille se retourne vers sa mère pour se plaindre d'un invraisemblable juron du père, d'une injustice flagrante, ou de la simple présence de cet intrus indésirable, de ce malappris, elle doit découvrir avec amertume que sa mère semble avoir abandonné tout sentiment de justice, et qu'au lieu de protéger sa fille contre ce monstre, elle prend même son parti. Effectivement, à cette époque, les femmes étaient prêtes à laisser passer les pires horreurs sans se défendre, car il était évident qu'elles désiraient avant tout reconquérir à tout prix l'amour de leur mari à coup de gentillesses, de concessions, de compréhension. Il arrivait éventuellement qu'un sentiment de culpabilité au souvenir de certaines fautes vînt renforcer cet empressement ; mais un profond sentiment de reconnaissance venait à tout coup balayer en elles tout doute et toute résistance. Pour les enfants, au contraire, cette façon de s'adapter, pleine de circonspection, constituait une torture chronique à laquelle ils devaient finalement se plier, perdant ainsi tout sens du juste et de l'injuste, du réel et de l'irréel, du vrai et du faux.

Quand le père en colère tempêtait, quand il proférait des jurons obscènes en débitant d'incroyables insanités, cela ne voulait pas dire qu'on devait y croire sans plus ; s'il se mettait à se démener comme un fou furieux incapable de se maîtriser, cela voulait simplement dire qu'on n'avait pas été assez gentil, qu'on l'avait provoqué d'une façon ou d'une autre, et qu'il fallait donc mieux se tenir à l'avenir. Mais, même avec la meilleure volonté du monde, on ne pouvait savoir quelle faute on avait commise, et on devait donc désespérément se mettre martel en tête pour découvrir ce que ce forcené inconnu, ce père monstrueux et sacro-saint avait bien pu vouloir dire par cet accès de colère.

Quand, sans aucune explication, le père se mettait soudain à rosser comme un charretier le petit frère ou la petite sœur, cela ne voulait plus dire, comme cela aurait été le cas auparavant, qu'il fallait prendre la défense du plus petit de la famille contre ce bourreau d'enfants et aller crier secours auprès de la mère ; il fallait simplement en conclure que le père savait bien ce qu'il faisait, qu'il avait raison en tout et qu'il fallait lui complaire en lui obéissant avec plus d'empressement.

Pour dire les choses avec plus de mordant : personne n'a jamais mieux ressenti et enduré l'idéologie nationale-socialiste concernant le droit du plus fort que les enfants d'après-guerre, soumis à la pression d'une mère constamment prête à mentir, à s'adapter sans conditions, à capituler sans réserve, cela des années après le « retour de Jephté » dans le cercle de la famille qui avait tant soupiré après lui. Impossible à la mère d'expliquer la vérité à ses enfants, de dire que le père ne cherchait qu'à remettre le plus tôt possible en état une demeure déclarée dangereuse, sans jamais se départir de sa rage contre le travail systématique de démolition des bombardiers alliés. Et si elle avait pu le faire, elle n'aurait jamais osé faire des reproches à un mari qui se donnait tant de mal ni prendre devant lui la défense de ses enfants. Mais les enfants, jusque-là habitués à recourir spontanément à la protection maternelle contre tout ce qui pouvait leur tomber dessus, se retrouvaient soudain plus isolés et plus désespérés que jamais.

Furieux contre la faiblesse de leur mère et apeurés devant la violence de leur « père », il leur fallait apprendre qu'ils n'avaient apparemment eux-mêmes ni droit ni justification, que seul cet intrus en avait, qu'ils devaient voir l'expression d'une sagesse supérieure dans les plus effroyables événements qui arrivaient quand ils tombaient sous la main de « papa », qu'ils ne pouvaient nourrir envers eux-mêmes que doutes et reproches, et qu'il leur fallait subordonner sur-le-champ tous leurs souhaits aux plans de reconstruction, secrets mais sûrement géniaux, de sa majesté paternelle. Leur existence en devenait semblable à celle d'Hedwige, l'héroïne que décrit Henrik Ibsen dans sa pièce *Le Canard sauvage* : une existence reléguée au plus profond de la mer[6].

6. H. IBSEN, *Le Canard sauvage*, trad. G. Siganne, Paris, Gallimard, 1972, p. 74.

Bien sûr, le contraire aussi était possible : à son retour, celui qu'on attendait comme un puissant sauveur n'était plus qu'un homme faible, cassé, blessé, ou un invalide. Mais dans ce cas encore, les enfants devaient découvrir que c'était désormais à cet inconnu, apparemment totalement indigne, que leur mère consacrait désormais les trésors d'amour et de tendresse qu'elle leur avait jusque-là désespérément prodigués ; et il leur fallait là encore ravaler leur haine naissante, leur jalousie, leur colère pourtant si justifiée, et se sentir en même temps coupables de sentiments pourtant parfaitement justes et compréhensibles de la part d'enfants.

Seuls des enfants intelligents et fort habiles pouvaient tenter de disputer l'amour de la mère à ce concurrent indésirable. Un peu d'effort et de peine, et on réussirait peut-être à être à son côté l'homme supérieur qui rendrait inutile la présence de cet individu superflu. Et le désir d'être un homme pouvait soudain s'épanouir et permettre de découvrir leur vraie dimension à celles qui n'étaient jusque-là que des garçons manqués : on se débrouillerait sans doute beaucoup mieux avec la mère toute seule qu'avec cet idiot de père qu'on avait eu le tort d'attendre.

Ou tout au contraire, on découvrait bien trop précocement la déception et la souffrance cachée de la mère lors du retour de son mari, et on se vengeait de l'infidélité de sa mère en prenant désespérément le parti du père, avec l'espoir de conquérir à tout prix sa faveur.

Toutes ces possibilités pouvaient évidemment se présenter conjointement, donnant lieu à des mélanges de gradations diverses. Toutes engendraient en tout cas le même symptôme, difficile à percevoir et non moins difficile à guérir : celui d'un déni moral de la réalité et d'une peur chronique du bonheur et de l'amour, due à un sentiment permanent d'infériorité et de culpabilité.

Les filles de Jephté.

Dans son roman « Jephté et sa fille », inspiré du livre des Juges, Lion Feuchtwanger a surtout dépeint la volonté masochiste de sacrifice et de renoncement à l'amour humain et au bonheur terrestre de la fille du juge de la tribu de Galaad, ce guerrier lui-même mal aimé et sans amour, cruel, ambitieux et arrogant, mais finalement résigné dans son désespoir.

C'est avec une remarquable perspicacité que cet auteur décrit la figure de la fille de Jephté, Jaala, si semblable à une biche : dans le roman, elle est à l'origine une enfant pleine de poésie, la sœur de tout ce que la nature peut comporter de beauté ; avec sa mère, Ketura, l'Ammonite, elle guette en silence, mais tout heureuse, les animaux sauvages qui viennent pâturer : elle en comprend le langage et les réactions. Feuchtwanger la décrit, douloureuse et fascinée, devant le piège où une bête s'est laissé prendre. Elle aime la solitude. Elle possède une imagination très vive qui lui fait prêter âme humaine à tout ce qui l'entoure. Pour elle, arbres et bêtes pensent, et elle se rappelle l'histoire de chaque rocher. Elle invente des chansons, qu'elle va chantant avec émotion de sa voix grave. Un jour, Jephté lui ramena une lyre du pays de Bashan. Elle apprit à en jouer. Elle était heureuse[7].

À cette merveilleuse créature, Feuchtwanger appose Jemin, le fidèle et silencieux Ugarite, qui, par amour pour elle, a été jusqu'à sacrifier son nom païen de Meribaal, afin de devenir pour ainsi dire la « main droite » de Jephté. Il brigue patiemment et délicatement l'amour de Jaala. Mais le Dieu de la fille de Jephté, figure altière, cruelle et écrasante, qui reflète à s'y confondre le visage d'un père instable, fou d'orgueil, effroyablement beau, terrible de violence, la rend enthousiaste à l'idée de s'immoler par le feu sur son autel, imperméable à tout sentiment humain. À peine a-t-elle entendu parler de l'effroyable vœu de son père que « Jemin comprit qu'elle se trouvait comme aspirée de tout son être par ce qui l'attendait, et que ni lui, ni Jephté, ni elle n'y pouvaient rien. Il en fut troublé comme jamais il ne l'avait été ». Amoureux éconduit, « Jemin se sentit déchiré entre des sentiments contradictoires : il admirait la fermeté de la décision de Jaala, mais était courroucé de la voir partager l'orgueil de son père : personne n'était digne d'être son époux, sinon Yahvé lui-même. Parfois, il ne parvenait pas à croire qu'elle lui serait enlevée pour toujours. À sa vue, il se sentait empli de respect, saisi de désir, jaloux de Yahvé, ce majestueux rival. Il ressentait une terrible envie de se mesurer à Dieu

7. L. FEUCHTWANGER, *Jephta und seine Tochter*, Francfort, 1957, p. 70.

pour elle. Mais dès qu'il provoquait Yahvé au combat, celui-ci se dérobait[8] ».

Comment cette ambivalence du sentiment qu'éprouve en tant qu'enfant une fille de Jephté ne s'enracinerait-elle pas chez ceux qui cherchent à s'en approcher ? Tout se passe comme si la figure tyrannique de son père concentrait sur elle toute son adoration et toute sa piété, la contraignant par là même à se sacrifier pour la « victoire » de ce père jaloux, sans jamais laisser personne d'autre l'approcher. Celui qui veut la gagner doit effectivement engager la lutte contre son dieu et contre son père, et disposer d'un pouvoir le rendant capable de briser l'image paternelle toute-puissante, avec toute son ambiguïté.

Mais comment cela peut-il se faire ?

La principale difficulté, celle qui fait obstacle non seulement à toute approche humaine, mais aussi à toute tentative de thérapie, c'est le caractère incompréhensible et inattaquable du père.

Veut-on vraiment comprendre le phénomène que nous avons décrit au départ, celui qui empêche de déceler aucune cause apparente à la multitude de problèmes auxquels se heurtent aujourd'hui des gens d'un peu plus de quarante ans ? Il faut vraiment avoir sous les yeux l'incroyable réseau défensif dont on avait à l'époque entouré la figure du père, prendre en compte la terrible crainte qu'inspirait chacune de ses interventions, et réfléchir à l'habitude, transformée par les décennies en routine, de retranscrire tout reproche adressé à son régime de terreur en autoaccusation ou en reconstruction fantastique de la « véritable » signification de son comportement : en conséquence de quoi on a vraiment exclu de la conscience ou soumis à une censure confinant à l'amnésie totale toutes les impressions négatives le concernant, lui qui est pourtant à l'origine de toutes les difficultés et de tous les blocages ; à cette époque, rien de négatif sur une famille si bonne en soi ne devait filtrer à l'extérieur.

Il suffit alors de faire le moindre gestc visant à se rapprocher d'une « fille de Jephté » pour se heurter du même coup à des résistances inconscientes d'une image paternelle ancrée dans le surmoi, et à l'interdit, sous peine de rupture totale de toute relation, de dire le moindre mot sur ce « père ».

8. L. FEUCHTWANGER, p. 224-225.

L'effet de cette image sur toute approche humaine ne serait sans doute pas si durable si, au cours de ses longues années de solitude, et dans son désir de rester fidèle à son conjoint et de se défendre contre l'autre sexe, la mère n'avait elle-même érigé autour d'elle une muraille d'angoisse plus fermée qu'un ghetto, y enfermant aussi ses filles. Les manières vraiment douteuses et les plaisanteries hargneuses des hommes retour de guerre ne pouvaient que provoquer chez les filles un frisson d'horreur et leur confirmer les pires soupçons de leur mère.

Mais il n'y a pas que ce blocage, qu'on pourrait dire « œdipien » au sens large, pour faire obstacle, des décennies plus tard, à une vie commune humainement satisfaisante : plus gênant et plus déroutant encore, il y a le *dédoublement de la réalité* qui découle du désir et de la peur du père remontant à cette époque-là.

L'autel préféré sur lequel s'immolent les filles de Jephté n'est sûrement pas toujours dans les « montagnes de Galaad », entendons derrière la clôture monastique d'un masochisme fait d'angoisse sexuelle, de timidité et de résignation intérieure. En dépit des obstacles, les plus courageuses d'entre elles ont au contraire le plus souvent eu l'audace de faire le pas du mariage ; mais l'héritage amer de leur enfance ne cesse pour autant de les contraindre à la fois à rechercher de tout leur désir la réalité de l'amour en même temps qu'à la fuir avec angoisse. Le résultat presque automatique du traumatisme du retour du père, c'est qu'on recherche aussi dans le mariage un dédoublement du réel, sublimé fantasmagoriquement, qui vient donner une âme à la vie quotidienne, si triste et si monotone, tout en la dépassant. Mais, d'autre part, on n'ose pas non plus se livrer sans retenue à ce dédoublement, car toute tentative en ce sens se trouve immédiatement étouffée sous de sévères scrupules moraux et sous les reproches violents qu'on s'adresse. Ainsi subsiste ce danger, que le thérapeute voit toujours apparaître au plus tard avec la quarantaine : l'incapacité de vivre vraiment, et le déchirement continuel entre la vie quotidienne et le rêve, comme si on était absurdement broyé entre deux meules, sans solution possible.

C'est ainsi qu'une femme raconte comment elle se trouve enchaînée depuis plus de dix ans à un homme d'un niveau culturel éminent, sans jamais pouvoir s'en détacher, alors qu'elle ne le voit que rarement et que leur relation est de nature purement platonique. Elle considère elle-même comme étonnantes la violence, la durée et l'absence totale de perspective de cet amour, jusqu'au moment où elle réussit à s'avouer qu'elle ne cesse de rêver tout le reste de sa vie. L'arrière-plan de ce rêve, c'est le souvenir du temps où son père était à la guerre. En ce temps-là, elle était la petite fille que sa mère serrait contre elle pour lui montrer l'image de son père avant de prier le bon Dieu pour son rapide retour. Elle fut tellement marquée par cette image, immense, surnaturelle, qu'aucune déception survenue par la suite ne put jamais avoir raison de ce rêve plein de désir amoureux. La conséquence de ce rêve, ce fut l'amère découverte qu'il n'est pas possible de connaître ici-bas le bonheur de l'amour, et que la vie conjugale réelle se *doit* de n'être que désillusion ; ce n'est qu'au-delà du mariage, au-delà de la réalité, au-delà de ce monde terrestre, qu'amour et bonheur sont compatibles. Tristan et Iseult sont sans doute les types de cet état d'esprit.

Une autre femme, qui a connu plus d'une douzaine d'amants plus ou moins sérieux, mais n'est toujours pas arrivée à en trouver un seul valable, découvre soudain que c'est une fois de plus l'image surévaluée du père tant désiré au cours de son enfance qui empêche en elle toute relation humaine. En ces jours-là, la mère lui lisait toujours les lettres que son mari lui écrivait de Russie. L'enfant, extrêmement sensible, s'était imprégnée de toutes les nuances de sentiments éprouvés et ressassés par la mère. Cela la poursuit aujourd'hui encore. On pourrait multiplier sans fin des exemples de ce genre.

Ce dédoublement de la réalité présente encore une autre face concernant les réactions aux agressions et aux conflits.

On peut régulièrement observer que certaines femmes, qui ont grandi dans les circonstances que nous venons de décrire, font preuve d'un aveuglement frappant à l'égard des difficultés effectives des autres. Qu'un buvcur fasse du grabuge dans la maison voisine, qu'une étudiante se drogue dans la chambre qu'on lui a sous-louée, qu'un couple apparenté soit en train de divorcer ou qu'une proche soit à l'abandon dans les bas quartiers de Hambourg, il est manifeste qu'en partie elles l'ignorent, en partie le nient, en partie l'interprètent joyeusement, de façon désarmante. Elles agissent ainsi avec une telle habileté et une telle assurance que, même dans une consultation, il est souvent difficile de remarquer à quel point leurs descriptions transforment et déforment la réalité. Finit-on par noter enfin le caractère de sélection positive, autrement dit d'illusion magique, de cette perception du réel, on a alors le plus grand mal à croire ses propres observations et à s'avouer la gravité du problème : est-il vraiment possible de voir des femmes, dont l'intelligence, le sens des responsabilités, la profondeur de sentiments et la vie intérieure sont si incontestables pour tout ce qui concerne le reste, jouer de façon si peu croyable avec les problèmes des autres ? La situation devient encore plus embarrassante quand on constate que l'attitude envers soi-même n'est pas moins capricieuse : on vous déclare qu'il n'y a pratiquement pas de problème, ou que tout est rentré dans l'ordre — ce qui rend évidemment extrêmement difficile une collaboration thérapeutique. Sans doute sent-on en même temps un ardent désir de compréhension, de protection, d'aide, mais on a l'impression que leur façade totalement lisse constitue pour ces personnes la condition indispensable pour pouvoir consentir à une relation personnelle ou thérapeutique. Ce n'est que peu à peu que l'on parvient à cerner la véritable origine de cet immense clivage entre une recherche objective de chaleur et d'aide, et l'incapacité très anxieuse de reconnaître ses propres difficultés aussi bien que celles d'autrui. On remarque alors qu'il n'est tout simplement pas permis à ces femmes de constater qu'il pourrait y avoir des problèmes chez elle ou chez les autres et, une fois de plus, cet interdit se rattache directement à des événements qui se sont passés dans le cadre du « retour de Jephté ».

Quand il devient impossible d'ignorer plus longtemps un conflit donné chez un autre, il serait en effet toujours nécessaire de réagir à ce que l'on perçoit par la critique ou par l'agression. Mais au moment même où s'allume l'indicateur « conflit », ou « agression », s'élève en même temps la voix d'angoisse qui mettait jadis l'enfant en garde dès qu'il était « méchant » avec papa. Étant donné l'interdit de jamais découvrir en lui quoi que ce soit de « problématique », d'« inconvenant » ou d'inquiétant, puisqu'il y a quelque trente-cinq ans, tout reproche qu'on lui aurait adressé au retour de la guerre aurait blessé à mort une famille qui n'avait cessé péniblement de se bercer de l'idée que « désormais, tout doit bien marcher », ce serait aujourd'hui encore le pire des crimes, un crime de lèse-majesté, que de dire de quelqu'un qu'il est impertinent, vaniteux, idiot, fou, intoxiqué, infantile, ou n'importe quoi d'autre. Au lieu de quoi on se trouve immédiatement contraint de retenir toute observation critique, de corriger tout de suite son jugement spontané, et de reconstruire à toute vitesse une toute nouvelle réalité joyeuse, toute différente de son monde réel. Cette façon de réagir à l'agression comporte bien des éléments de dépression, d'obsession et d'hystérie ; elle n'est cependant pas l'expression d'une forme de névrose bien spécifique, mais le résultat d'une simple compulsion répétitive qu'on ne peut comprendre qu'à partir de la volonté désespérée de la mère, à cette époque lointaine, de maintenir à tout prix l'harmonie avec son mari enfin de retour, au prix de n'importe quelle négation de la réalité. Les dépressifs, également, sont habitués à retourner de l'extérieur vers l'intérieur, contre eux-mêmes, leur agressivité ; les obsessionnels, eux aussi, ont tendance à douter, dès que leur agressivité commence à être trop dangereuse ; les hystériques, de même, jouent avec la réalité quand cela leur convient. Mais le syndrome dont il est ici question, s'il se renforce parfois d'une de ces composantes, est d'une autre nature qu'elles. Il s'agit plutôt tout simplement d'une application d'un modèle de comportement datant de la guerre ou de l'après-guerre et conduisant à falsifier ses propres observations aussitôt qu'elles portent à la critique d'autrui, en particulier de personnages incarnant l'autorité paternelle. En présence de toute réalité susceptible de donner lieu à un conflit ou à la critique, on se trouve devant l'obligation de construire un monde factice d'où les contrariétés sont ou gommées, ou, si elles sont vraiment indéniables, interprétées comme recouvrant une intention secrète, comme le résultat d'une savante élaboration pédagogique visant à retransmettre une leçon soigneusement réfléchie. Ainsi le fantôme des mensonges désespérés de la mère hante-t-il obstinément la tête de ses enfants, celle de femmes (et d'hommes) aujourd'hui dans la quarantaine ; il provoque une espèce de double jeu illusoire avec le réel, de telle sorte que toute observation critique vient se fissurer sur la formule standard qu'on s'oppose nécessairement à soi-même : « Non, ce n'est pas cela ; c'est tout le contraire... » Autrement dit tout le contraire du père, tel qu'on l'a vu trente-cinq ans plus tôt, et tel qu'il fallait bien le voir objectivement.

De ce temps-là subsiste en outre, pour le meilleur ou pour le pire, le devoir absolu de ravaler ses *propres* conflits, ou en tout cas de ne jamais ennuyer personne avec eux. L'éventuelle crise de colère du père, lorsqu'on venait par surcroît le déranger avec ses petits tracas — ces « bobos » ridicules, alors qu'il s'agit de la reconstruction de l'Allemagne ! —, la tristesse désespérée que pouvait déclencher à ce moment chez la mère cet « enfant raté » avaient définitivement détruit l'idée que quelqu'un pouvait vous aimer ou simplement vous supporter si on venait lui confier combien on trouve difficile la vie, et parfois même les personnes que l'on aime le plus.

Puisque ainsi les autres apparaissent toujours comme sans problèmes, et qu'on se sent soi-même obligatoirement comme un nœud de problèmes « impossibles », on ne peut avoir de soi qu'une perception complètement faussée, avec tout ce que cela comporte de sentiments d'infériorité, d'angoisse, d'exigences démesurées, de contradictions continuelles entre ses souhaits et son comportement, bref, de continuelle injustice vis-à-vis de soi. Ce sont justement ces personnalités extraordinairement empressées, courageuses, le plus souvent exceptionnellement actives et battantes, qui, dans leur quarantaine, en arrivent à ne plus trouver aucune source de satisfaction personnelle. Elles sont tiraillées entre deux mondes, le premier où elles se sentent de trop, parce que mauvaises, le second où les autres leurs paraissent formidables, alors qu'il n'y a rien de formidable à voir. Quand elles veulent entreprendre quelque chose, leur volonté de tout faire à la perfection les conduit à placer dangereusement trop haut la barre, donc à s'exténuer pour tenir ce qu'elles se sont promis de réaliser, et finalement à échouer par excès de fatigue. Et c'est souvent de préférence dans les domaines concernant la vie sociale, en particulier argent ou travail professionnel, qu'on aboutit à la catastrophe, en dépit des capacités, de l'intelligence et des efforts déployés ; et cela parce qu'on est condamné à l'angoissante répétition d'une vie tiraillée entre deux niveaux, celui de la réalité et celui du rêve.

Sauver Iphigénie.

S'il peut exister quelque salut permettant d'échapper à cette double vie du rêve et de la réalité, ce ne saurait être moins compliqué que ce que raconte le vieux mythe d'Iphigénie en Aulide. Comme pour un mariage, on avait déjà conduit à l'autel de la terrible Artémis la fille d'Agamemnon, revêtue de la robe safran des prêtresses de la déesse, on lui avait dénudé la poitrine pour lui porter le coup fatal, et on allait l'immoler, lorsque Artémis « lui substitua une biche et l'enleva dans les airs pour la conduire jusqu'à la presqu'île de Tauride pour en faire sa prêtresse chez les barbares[9] ». Mais sa mère, Clytemnestre, révoltée contre l'apparente immolation de sa fille, fut prise de haine contre son époux, Agamemnon et, à son retour de guerre, elle le tua d'un coup de hache dans sa baignoire, avec la complicité de son amant, Égisthe. Sept ans plus tard, son fils Oreste et sa fille Électre vengèrent à leur tour la mort de leur père en tuant Clytemnestre et Égisthe. À la suite de ces atrocités, Oreste fut chargé « d'aller chercher en Tauride la statue d'Artémis tombée du ciel. C'était devant cette image cultuelle qu'Iphigénie avait à sacrifier. C'est vers celle-ci que, sans le dire, le dieu envoyait Oreste et Pylade ; c'est de sa main que les deux jeunes Grecs étaient voués à être sacrifiés dès leur arrivée. Mais ils se reconnurent, ce qui leur valut à tous le salut : le vol de la statue, et le retour de la prêtresse chez elle[10] ».

Transposant cette histoire de héros à la pratique thérapeutique, on peut dire qu'il s'agit bien d'aller sauver dans un pays lointain (l'inconscient) la statue d'une déesse déchue et de libérer la fille d'Agamemnon de son « culte » meurtrier des mâles et des êtres humains. Pour cela, le seul moyen consiste à trouver quelqu'un capable de se montrer son « frère ». Dans le processus de délivrance, il s'agit avant tout de permettre à la mère de vaincre l'image angoissante qu'elle se fait du père ; mais cela ne saurait suffire pour alléger l'existence de la fille, tant est lourd le *diktat* que celle-ci fait peser sur elle. Ce n'est qu'après avoir achevé son œuvre sur Clytemnestre et sur Égisthe, son funeste époux, qu'« Oreste » parvient à rejoindre sa sœur. Encore court-il

9. K. KERÉNYI, *Die Mythologie der Griechen*, t. II, p. 259.
10. *Ibid.*, p. 261.

le risque de tomber lui-même victime du culte si particulier de sa sœur. « Iphigénie » ne se laissera arracher à l'autel d'Artémis, cette redoutable déesse de la chasse, qu'après avoir dûment constaté que, contre toute attente, il peut exister une forme « fraternelle » d'amour, indépendante du père et de la mère. De fait : seul un amour capable de venir substituer une image de type fraternel à celle d'un père de type divin pourra la délivrer de la fascination qui la conduit à recommencer constamment la même immolation inhumaine et à détruire ainsi sans cesse son bonheur, seul cet amour pourra la ramener chez elle.

Conformément aux vieux mythes, celui qui se met en demeure de sauver « Iphigénie » devra absolument tout oser, mais ne saurait pour cela disposer que d'un pouvoir : le rapprochement patient et progressif de deux intimités, d'égal à égal. Au terme de cette approche, après des souffrances sans fin, s'il a réussi à écarter du chemin les sombres images parentales, il lui sera donné le plus grand bonheur qui soit chez les humains : celui d'un amour fraternel, libéré de toute angoisse et désintéressé, d'une amitié cordiale qui ne finira jamais, parce que, pour la conquérir, il aura déjà fallu vaincre tout ce qui pourrait l'entraver. Pour une telle récompense, quel prix ne paierait-on pas ?

Table des matières

PRÉFACE I

À L'ABRI DANS L'ANNEAU DE L'AMOUR; L'HOMME ORIGINEL VU PAR LE YAHVISTE (Gn 2, 22-35) 7

Sans Dieu, l'amour devient malédiction fatale .. 9

La femme, instrument de punition des dieux, ou bénédiction de Dieu ? De la mythologie grecque à la théologie yahviste 11

L'amour surgit de l'aspiration à la complétude : la côte arrachée (Gn 2, 22) 17

Du sommeil d'une vie ans amour et de la gratitude envers la destinée (Gn 2, 22-23) 19

L'amour à la recherche du vrai nom de l'aimée (Gn 2, 23) 20

La figure adulte de l'amour en Dieu : dans l'anneau du monde, dans l'anneau du temps, il faut quitter père et mère (Gn 2, 24) 22

L'innocence originelle de la sexualité — l'unité de la chair (Gn 2, 24) 24

Pas de honte aux yeux de l'aimé : le miracle de l'échange 28

La promesse de la terre 31

DOCTRINE ET MORALE CONJUGALE À LA LUMIÈRE DE LA PSYCHANALYSE 33

Le dossier psychanalytique 35

L'amour est de Dieu 35

La divinisation de l'amour dans la mythologie 36

L'humanité de l'amour en Dieu 37

Le transfert amoureux 40
L'amour de l'enfant pour ses parents 41
Les caractères du transfert de l'amour parental 41
« Angoisse et contrainte », ou « l'erreur sur la personne » 44
Exemples de l'amour de transfert 46
Le transfert amoureux, un risque nécessaire: réflexion à partir d'un conte.............. 47
Les formes de l'amour de transfert 50
Le transfert amoureux par opposition 50
Les « racines aériennes » de l'amour de transfert — Ou: « Au secours du commandant Scobie » 52
La projection de l'*anima*.................. 55

Conséquences théologiques du donné psychanalytique 59

Conséquences de l'amour de transfert 61
L'incertitude globale de toute évaluation 61
La dimension religieuse du transfert: archétype parental et angoisse 62
L'alternative: foi en Dieu ou amour de transfert 67
Le réalisme de la loi mosaïque; ou: « au commencement » et dans la « dureté du cœur » 68
L'indissolubilité du mariage: une question religieuse, et non pas morale 70
Trois thèses 72
Le caractère sacramentel du mariage comme fondement de son indissolubilité 72
La différence infinie entre la loi inhérente à la foi et une loi morale 73
Mariage et célibat 78

UNE FORME PARTICULIÈREMENT TRAGIQUE DE MALENTENDU DANS LE MARIAGE OU: DU DROIT AU DIVORCE ET AU REMARIAGE DANS L'ÉGLISE CATHOLIQUE..... 79

Appel chrétien à la fidélité et drame de l'échec . 81
Le véritable problème: les angoisses inconscientes 87
Le modèle tragique d'un couple constitué d'un névrosé obsessionnel et d'une dépressive 88

L'erreur de l'« avantage commun » 90
Une vision différente de la sexualité 91
L'incapacité d'exprimer un souhait : rationalisation et lecture de pensée 93
Des ordres qui sont des reproches 95
Indépendance contre don de soi............. 96
Sans félicitations, c'est l'effondrement total . 98
Une façon différente de percevoir le temps ... 100
Des effets différents de la maladie et de la mort 101
Le bilan d'une destruction réciproque 102
Fidèle jusqu'à la victoire finale : ou à la recherche d'un alibi.............................. 103
La limite du champ de la psychothérapie dans le couple 107
L'impasse du moralisme et la nécessité du religieux 108
Trois corollaires de la vision sacramentaire du mariage dans l'Église catholique 112
Le paradis de l'amour ne connaît pas de commandement.............................. 112
La relativité de la forme, de l'institution et du droit 115
Nécessité de la psychanalyse pour la théologie 117

DIVORCE POUR FAUTE : CONDAMNÉS À ÊTRE MALHEUREUX ? PLAIDOYER POUR LE DROIT AU PARDON DANS L'ÉGLISE CATHOLIQUE 121

Quand on néglige la psychanalyse de l'angoisse . 123
La tragédie de l'amour de transfert ; qu'a donc fait Dieu ? 123
La dynamique de l'affinité élective, ou, de l'illogisme dans la notion d'« incapacité partielle de mariage » 124
Des mariages qui ont échoué par « faute » 127
Seule une faute importante détruit l'essence d'un mariage 128
Peut-on prendre l'exemple du roi David ? 129
Quand l'évitement de la faute n'offre plus d'issue à la vie............................ 131
Balzac, ou la sagesse du roi Artus 134
Gervaise, ou la destruction de l'amour sous l'accablement du malheur 138

La destruction morale de l'amour, ou : M. Karenine a-t-il toujours raison ? 143
On peut demander à une institution de pardonner, mais on ne peut toujours l'attendre d'un particulier 143
Un exemple de mariage malheureux, Léon Tolstoï ; ou : qui a vraiment tort ? 146
Que signifient donc « amendement » et « réparation » ? 148

« ATTENDS QUE TON PÈRE REVIENNE ! » CRISES LIÉES À DES SOUVENIRS D'ENFANCE AU LENDEMAIN DE LA GUERRE 151

La loi des effets différés, ou : du courage personnel 153
La mère et l'esprit du temps 155
La double réalité 160
Le retour de Jephté 163
Les filles de Jephté 170
Sauver Iphigénie 178

Achevé d'imprimer le 19 octobre 1992
dans les ateliers de Normandie Roto Impression s.a. 61250 Lonrai
N° d'imprimeur : I2-1014
Dépôt légal : octobre 1992